JN092671

インベカヲリ★
INBE KAWORI★

ライフサイエンス出版

目次

序章

さいとうクリニックへ
行きなさい

痴漢をするのが、毎日楽しみでしかたなかった。

時は、１９８０年代の東京。ＩＴ企業で働くその男は、通勤電車のＪＲ京浜東北線内で、行きも帰りも常に女性を物色していた。相手の顔や容姿は見ない。彼がターゲットにするのは、触りやすい位置にいる女性だ。そして、直で肌に触れるためには、ストッキングよりも素足のほうが良かった。

男は制服姿の少女を見つけて後ろに回り込むと、プリーツスカートの裾をソッと指で摘まんだ。持った部分以外は、極力位置を変えないよう細心の注意を払う。そして、気づかれないよう、少しずつまくり上げていく。それは、１駅につき１㎝という慎重さだ。ごくわずかな、最小限の接触から入っていくのだ。

女性に抵抗する様子が見られなければ、男の手はそのままスカートの中に侵入する。素肌や下着にソッと中指を当てると、彼はそのわずか１㎠の指先に全神経を注いだ。そこからすべての情報を読み取り、イマジネーションを膨らませていく。

この男に、自分が痴漢である自覚はない。彼にとって痴漢とは、田舎道に立てかけられた「痴漢に注意」の看板が示すように、暗がりから突然飛び出してくる動物のような存在だ。すれ違いざまに女性の胸を揉んだり、性器を露出したりする人種である。そんな生き物と自分は、真逆だとすら思っていた。

では一体、彼の行為は何なのか。それは、女性とのコミュニケーションだ。指先を使って、相手の応答を感じ取りながら会話する。だから、手で押しのけられるなどして拒否されれば、それ以上はやらなかった。世の中には、スカートをハサミで切り裂く痴漢や、暴力を振るう男もいるが、危害を加えて興奮するなど彼には考えられない。

抵抗しないということは、自分は女性に受け入れられている、歓迎されているのだと彼は考えていた。女性の肌に触れるだけで満足だったが、拒否されない安心感に包まれると、性的に興奮した。触らせて頂いているという感謝の念を抱きながら、男はようやくショーツの中に指を滑り込ませる。そして、女性器に指を入れるのだ。彼はこの時、指先を通して関係性ができあがっているものと信じていた。仲良くしてもらっているものだと思っていた。痴漢の恐怖で動けない女性がいるなど、考えたこともなかったのである。

「この人、痴漢です」

2022年12月、出版社の会議室で私の取材に応える彼は、当時の自分を思い出すように、丁寧にゆっくりと語っていた。刑務所も二度入っていたが、性加害者だからといって威圧感のようなものがあるわけではない。そこら辺にいる男性と何も変わらない印象である。

一体、彼はいつから痴漢行為をするようになったのだろう。当時を振り返ると、バス通学をしていた高校時代から、座席のわずか5㎜の隙間に無理やり手を入れて、前に座る女性を触ろうとしていたという。予備校の大教室では、パイプ椅子に座る女性のお尻を、後ろから足を伸ばして触っていた。とにかくチャンスがあれば触りたいと思っていたらしい。

18歳で大学に進学し、電車通学をするようになると、触るチャンスは格段に増えた。最初は隣に座る女性の横に手を置き、自然にぶつかるふりをして触っていただけだったが、たちまちその行為にのめり込むようになり、行動をエスカレートさせていった。

企業に就職して通勤時刻が一定になると、痴漢行為はさらに常習化した。行きは、乗り換えを含めた約1時間の間に、2~3人を触る。退社後は、電車に乗るとまっすぐ帰らず、そのまま最寄り駅を通過。終点まで行って折り返しの電車で戻ってくる。それを終電まで繰り返して、4~5人は触った。どんなに少なく見積もっても一日5人は触っていたことになる。車内が混んでいようと、空いていようと触っていた。飽きるということはなかったし、止めようとも思わなかった。

会社勤めを始めてしばらくした20代前半の頃、バイク事故を起こして左足を骨折し、ギプスをはめていたことがあった。そんな状態でも、彼は松葉杖を突きながら痴漢を続けていた。つり革につかまっている女性を見つけると、混んでもいない車内で真後ろに立ち、女性のお尻に陰茎を押し付けたのだ。その姿は周囲にも丸見えだったが、自分の世界に没頭すると周りは見えなくなっていた。傍で気づいた男性がツカツカと歩いてきて、「君たち恋人同士?」と聞いてきた。女性が「違います。この人、痴漢です」と答えると、そのまま駅員室まで連れて行かれ、警察に引き渡された。だが、この時は始末書を書くだけで解放された。今では考えられないことだが、当時はそれで済まされていたのだ。

彼にも良くないことをしている気持ちはあったらしい。良いことだと思っていたら、そもそも隠れてやったりしない。警察には何度も捕まったが、逃げ切ったこともたくさんあった。気づけばすでに、女性に触っていなくては生きていけないほどになっていた。それが唯一の趣味で、生き甲斐だったからだ。

一方で、痴漢をするたびに具合が悪くなるようにもなっていた。触っている時は気持ちがいいのに、触り終えると気分が悪くなる。特に、会社にかわいい女の子が後輩として入ってきた時は、ほとほと自分が嫌になった。その子に気に入られたくて、痴漢をしない日をつくると、自分がクリーンでいられるような気がしてとても気分が良かった。だが、その子に声をかけてもどうにもならないと思うと、またすぐに痴漢をする日々に戻る。

自覚なき依存症

初めて起訴されたのは、２０００年代に入った頃。始末書で済まされる時期はとうに過ぎていた。すでに３回逮捕されて、３万円、10万円、20万円の罰金刑を受けている。そのあげくに、４回目の逮捕となったのである。大学進学で電車通学を始めた１９７８年から、痴漢歴は20年以上にもなっていた。

裁判で執行猶予つきの判決が出て釈放された時、担当弁護士はまずこう言った。

「さすがにこれは病気だから、病院で診てもらったほうがいいよ」

弁護士は、慶應義塾大学病院の精神科宛てに紹介状を書いてくれた。

しかし彼は、この期に及んでもまだ自分を痴漢だとは思っていなかった。確かにやっていることは痴漢だが、「痴漢行為をするまともな人間」であって「痴漢」という人種ではない。現に、会社では「いい人」と言われていたし、地域でボランティア活動もしていた。周囲から評価されることは積極的にやる、真面目な人間なのだ。痴漢をしている時の自分は、自分ではなくなってしまうのである。彼にとってその違いは大きかった。

自分は病気ではない。どうして病院に行かなきゃいけないんだろう？　そう思ったが、言われたことは素直にやる性格の彼は、弁護士の言葉に従った。

男は、この紹介状を他人に読まれることが嫌で嫌でしょうがなかった。病院の受付で渡す時は、清水の舞台から飛び降りるような気持ちだった。「私は痴漢です」と、第三者に自分から伝える初めての経験だからだ。それは、逮捕されるよりはるかに緊張することだった。

名前を呼ばれ、診察室にしては少し広い部屋に通されると、そこには白衣を着た3人の医師が並んで座っていた。なぜか診察が始まる様子はない。緊張感が漂うなか、紹介状に目を落としていた医師がおもむろに顔を上げ、男にこう告げた。

「あなたを、うちの病院で診ることはできません。あなたのような人は、さいとうクリニックへ行きなさい」

そこに、男の新たな未来が拓けていたのだった。

第1章

驚異の精神科医

セレブが集う港区麻布十番という街に、地下1階から地上9階のビル一棟を使った家族機能研究所と、付属の精神科診療所さいとうクリニックが開業したのは、1995年9月のことだった。世の中では「地下鉄サリン事件」と「阪神・淡路大震災」が起こり、日本中がパニックとなっていた年だ。

当時を知る患者たちは、こう振り返る。

「とにかくそのビルでは、女性の叫び声が響いていました」

「ちょっと動物園のような様相ではあったの」

「何というか、治外法権みたいな感じ」

「時節柄、近隣の人からはサティアンと呼ばれていましたね」

精神科と言えば、統合失調症や双極性障害などの精神病を診るのが一般的だ。しかし、さいとうクリニックは、家族内トラウマの後遺症に悩む人のための診療所として誕生した。症状としては、摂食障害、窃盗癖、性倒錯、買物依存症、引きこもりなど、主にアディクション（依存症）を治療対象としている。

理事長である精神科医の斎藤学（さとる）は、建物の9階で診察をしていた。白衣は着ておらず、スーツ姿でタバコを吸い、机の引き出しに常備された甘い菓子類をポリポリと食べながら患者の話を聞く。およそ医者らしくない医者である。それに斎藤自身、「私には治せないよ」などと言う。深刻な症状を抱えてやってきた患者たちは、まずこの斎藤医師に驚くのだった。

　斎藤の治療法は、現代の精神科医療の主流とは違う。その最たるものが「さいとうミーティング」と呼ばれる集団療法だろう。おおぜいの患者が聴衆として見ているなか、希望した患者が前方の椅子に座り、自分について語る。それに対し、斎藤が助言をしていくというものだ。

　クリニックには、9時半から19時半まで開かれているデイナイトケアがあり、さいとうミーティングは、そのプログラムの一環だった。デイナイトケアとは、精神疾患のある人にさまざまなプログラムを提供し、社会復帰のサポートをする場所のことだ。他にも、認知行動療法や演劇療法などの心理療法、マインドフルネス、アサーティブトレーニングといったセラピー、時には外出して映画館や美術館を回るレクリエーションなど多岐にわたった。患者たちは、診察や心理カウンセリングを受けながら、建物内を移動し、好きなプログラムに参加する。昼寝をするだけの部屋もあり、畳の上でゴロゴロ転がって一日をつぶすこともできたという。

　デイナイトケアは都内にもいくつかあるが、このようなプログラムを行っているクリニックは他にない。開業からしばらくすると、そうした評判を聞きつけた患者が全国から集まり、斎藤はカリスマ精神科医として一時代を築いたのだった。

　数々の逸話が残るデイナイトケアは、２０１９年5月末で閉鎖し、医療機関としてのさいとうクリニックも、２０２２年4月末に閉院した。これらの施設が入居していたビルは取り壊されて更地となり、現在はその隣のビルの一室にある家族機能研究所で、心理カウンセリングとさいとうミーティングを行っている。保険診療は止め、投薬治療も行わない。常時50人はいたスタッフも現在はいなくなり、残っているのは80歳を過ぎた斎藤と秘書の山中芙美恵だけだ。新規のクライアントも来るが、10年、20年と通っている患者が多く残っている。それだけに、心理療法家としての斎藤の手腕が凝縮された場所となっている。

斎藤学の愛読者だった私

筆者である私は、写真家でありノンフィクションライターだ。その私が、なぜ精神科を取材するのか、まずはその話からしてみたい。

写真家としてインタビューを受ける時、よく「影響を受けた写真家はいますか?」と聞かれる。だが、影響を受けた写真家はいない。影響を受けたのは、「精神科医の斎藤学先生です」というのが本当の答えだ。しかし、そう答えたことはほとんどない。話したところで、意味が伝わらないだろうと思ってしまうからだ。

例えば、人間の読み解き方、世の中を見る視点など、私はあらゆる面において斎藤の影響を受けた。私の表現方法は、写真家としてもノンフィクションライターとしても、王道から外れていると言われることが多いが、それは斎藤学というまったく別の分野の人から影響を受けたからだと思っている。とはいえ、私自身は患者ではなく、本の読者だ。斎藤はこれまで約30冊の単著を出版しており、共著、訳書、学会誌などを含めると途方もない数の著作を執筆している。さすがに全部を把握して読み通すことはできないが、少なくとも単著についてはすべて読んでいるはずだ。だから、私は、斎藤を臨床医としてというよりも、筆者としてとらえていた。

最初に斎藤の本を読んだのがいつで、何の本だったのか、今となっては思い出せない。怒濤の勢いで出版されていたのは主に80～90年代で、私が熱心に読み始めたのが２０００年代、20代の頃だ。だから、新刊よりも、過去の書籍を探して古本で読むことが多かった。

本の多くは、アルコール依存症や共依存や摂食障害などのアディクションを扱ったものだが、私自身は、アディクションを抱えているわけではない。それでも強く影響を受けた理由は、斎藤が「症状」ではなく、「人間」を見ているからだ。一見すると自分とは関係のない症状も、根っこの部分では人類すべてが抱える共通の問題につながっている。社会病理として見れば、関係のない人はいないということに気がつくのである。

斎藤の著作の中でもっとも売れたのは、おそらく１９９６年に出版した『アダルト・チルドレンと家族』（学陽書房）だろう。この本で、初めて「アダルト・チルドレン」という言葉が日本に広まった。元は、1980年代のアメリカで「アルコール依存の親のもとで育ち、大人になった人」という意味で生まれた概念だ。しかし、斎藤はこの言葉を日本に持ち込む際、親のアルコール依存症の有無とは切り離して考え、「機能不全家族のもとで育ち、大人になった人」というように定義を広げた。

とはいえ、私の育った環境は機能不全家庭ですらない。自分には、アダルト・チルドレンのような特性はないと思う。それでも、斎藤の話はやはり自分と関係があると思わざるを得ない。例えば、1995年出版の『「家族」という名の孤独』（講談社）には、こうある。

「商品としての機能だけが強調されて、感情が鈍麻に向かう時、行き着く先は人間のロボット化である。

ところで、他人にとっての価値によって自分の価値をはかるという態度は、共依存にほかならない。つまり、ロボット化は共依存によって相互に結ばれた人間関係が連綿として続くような社会の中で、初めて適応的となるような生き方なのである。

このような社会では『嗜癖化社会』とも呼べると思うが、その中で『健常』とされる人々の多くは、サラリーマンらしさ、教師らしさ、父親らしさ、男らしさ、子どもらしさなどの役割をロボット的に演じている」

斎藤が見ているのは、「健常」とされる家族から生まれる各種の症状だ。その家族の在り方をつくっているのは社会である。症状の原因の根っこが社会そのものにあるのなら、そこから逃げられる個人はいないだろう。

私は、日本社会で一般的な家族と義務教育の中で育ち、その社会に迎合する形で成長した。こうした社会に適応した結果が、自分が本当に思っていることは何も言わず、嘘偽りの姿で他者とコミュニケーションし、自分が何が好きで嫌いかという感情も失った人間になることだった。

少なくとも、物心ついてから成人するまでの間、私は友達もいて学校にも休まず通い、楽しそうに笑っていたが、心の中は殺伐としていた。幸福感を得るということが私にはとても難しかったし、生き生きとした毎日とは程遠いところにいた。別に私が特別なのではなく、こうした社会では、魂を疲弊させながら生きているほうが普通ではないだろうか。むしろ痛みに気づくだけ健康だと言える。

また、斎藤は私の仕事に大きく影響を与えた1冊を書いている。2008年に出版された『「家族神話」があなたをしばる』（NHK出版）だ。これまでは、症状を持った当事者が、自己理解を深めるための内容が多かったが、この本では「家族療法」という治療そのものを解説している。その手の内を明かしたとでも言うべき、斎藤の治療論である。

簡単に抜粋すると、家族療法とはこのようなものだ。

「個人のさまざまな問題のうち、精神療法の対象になるものを家族療法家たちは『症状行動』

というのですが、他の精神療法流派のようにこれを個人の『心の問題』とは考えません。むしろ家族の中のひとりに発した症状は、この家族システムの恒常性の維持に寄与するという『機能』を持っているのだという考え方をします。つまり、家族を成り立たせるために、症状が起きていると見ます。

そうなると、この症状を消すためには個人に働きかけても仕方がない。薬を飲ませようとしてもその人は飲まないし、無理に飲ませても効かない。個人ではなく、むしろ家族システムの中にその症状を必要とする『何か』があるのだから、それを発見し、『そこ』のところを違うものに変えようという話になります。ここで『何か』とか『そこ』といっているものを『コミュニケーション』といいます。

ごくかいつまんでいえば、家族療法とはこのような考え方に基づく治療法のことです」

その先は、具体的な実践方法について書いてあるが、さすがに素人が真似できるような簡単なものではない。それでも、個人ではなく家族システムの中にその機能を見る、という視点を得たことは、私にとって大きかった。以来、事件のニュースを見る視点が、ガラリと変わったからだ。特に無差別殺傷事件については、その背後にある家族システムを強く意識するようになった。

ちょうどこの頃、『死刑のための殺人——土浦連続通り魔事件・死刑囚の記録——』(新潮社)という事件ノンフィクションを読んだことも大きかった。この本は、「死刑になりたい」という犯行動機で無差別殺傷事件を起こした犯人に、その心の内を探ろうと、読売新聞水戸支局取材班の記者が熱心に聞き取りを続けるというもので、両者の対話が生々しく綴られている。結局、この本は最後まで犯人の核心に迫れず記者が困惑する形で終わっている。しかし、これを家族システム論の視点で読んでいた私には、まったく別の角度から、犯行動機や家族関係など、犯人の〝語らなかったこと〟が見えてきて、身震いすることになった。

この2冊を同時に読んだことをきっかけに、私の中には、ある野心が生まれた。それは、無差別殺傷犯に会って話を聞き、本人が自覚していない無意識の領域にまで踏み込んで、犯行動機について語らせる取材を実践してみたいというものだった。後に、それは『家族不適応殺　新幹線無差別殺傷犯、小島一朗の実像』（KADOKAWA）という事件ノンフィクションで試すことになるが、そのきっかけの一つになったのが斎藤の本の存在なのである。

もちろん、心理学において素人の私が、そう簡単に犯人の心の奥底まで辿り着けるわけもない。実際はおおいに振り回され、四苦八苦している。それでも、他の記者や、検察や弁護士や鑑定医が目を向けなかった心の領域には踏み込めたのではないかと思っている。

『「家族神話」があなたをしばる』は、間違いなく、私の人生にパラダイムシフトを起こした。インタビューをする際も、一人の人間を掘り下げる視点が大きく変わった。一時は、家族療法の魅力に取り憑かれ、他の精神科医の著書も読んでみたが、書いてある内容が全然違うので仰天したのを覚えている。同じ家族療法でも、斎藤の手法はほとんどオリジナルなのだ。私は家族療法という分野ではなく、斎藤学の考え方そのものが好きなのだと確信した瞬間だった。

精神科医と患者の相互関係

そんな斎藤を取材しようと思ったのは、さいとうクリニックの閉院を知った時だった。

「斎藤先生が着々と死ぬ準備をしている！」

私にはそう見えた。そして、猛烈に焦った。この時斎藤は、81歳。日本人男性の平均寿命は81歳である。臨終を迎えれば、あっという間に歴史上の人物になり、数々の書籍が過去のものになってしまう。名著を古い本にするわけにはいかなかった。

また、私は斎藤のもとに集まる患者たちにも魅了されていた。

2015年、私は、斎藤が設立した患者たちの組織「JUST」（NPO法人日本トラウマ・サバイバーズ・ユニオン）の主催する講演会「アディクションフォーラム」を客席で見ていた。その時壇上に立っていたのが、冒頭の痴漢だった。彼は、300人ほどの聴衆を前に、実名、顔出しでスポットライトを浴びながら、「私は四半世紀、痴漢をしていました」と高らかに自己紹介をしていたのだ。衝撃だった。常識的に考えたら、「犯罪者」「変態」と言われて石を投げられるような人物が、逃げも隠れもせず、生き生きとした表情で自分の経歴を語っていたのである。さらに驚くのは、それを聞いた客席の人々がまるで動じていないことだった。ここでは、それが日常なのだ。皆が真正面から自分をさらけ出し、問題と向き合っている場所なのである。私は、そこにさいとうクリニックの神髄を見た気がした。その後、何日も興奮冷めやらなかったほどだ。

患者たちのエピソードは、斎藤の著書にもたくさん登場する。しかし、それはあくまで治療者である斎藤から見た世界だ。患者から見た斎藤は、また別の姿があるのではないか？斎藤と患者の関係は、通常の医師と患者の関係とは違うものであることは、これまでの本を読んで気づいていた。常に目の前の患者の話を聞き、「人格はなぜ、どういうふうにつくられるのか」という情報をアップデートしている斎藤は、患者によってつくられていると言ってもいい。そして、患者もまた、斎藤の影響を受けて日々変化している。その相互関係は独特のものだ。その関係性は、第三者の視点がないと書けないのではないかという気がした。

それから重要なことがもう一つある。書物の中に見る斎藤と、生身の存在としての斎藤には、少なからずギャップがあったことだ。私はその両方に、別々の魅力を感じていた。しかし、生の姿は斎藤の著作ではあまり現れてこない。

もしも本人と患者の双方にインタビューができたら、リアルで生々しい斎藤学が残せるのではないか。これまでの本になかったもの、そして後世に残すべきものはそこではないか？　とにかく私には、書きたい動機がいっぱいあったのである。

打ち合わせでビックリ体験

今、家族機能研究所は、港区麻布十番のビルのワンフロアにある。入口のドアを開けると、ソファのある待合室があり、そこから奥の部屋へと案内される。15畳ほどのスペースに、斎藤の定位置である机と、大きなテーブル、そして、重ねられた椅子が隅に収納されている。四方の壁は書棚で囲まれ、隙間を埋めるように、絵画作品がいくつも飾られている。タバコは随分前に止めたらしく、部屋の空気はクリーンだ。

現在はここで、心理カウンセリングや、定員15名のさいとうミーティングなどを行っており、ほぼ毎日スケジュールは埋まっているらしい。

最初の打ち合わせの日、私と編集者はソワソワしながら待合室のソファで待機していた。しばらくしてミーティングを終えた患者たちが、奥の部屋から出てきた。なぜか皆、私の顔を見ながら通り過ぎる。そんなに来客が珍しいのかと不思議に思っていたら、実はすでに、私が取材を始めることをミーティングで伝えていたらしい。この場所では、斎藤の身に起きたことや考えたこともすぐにシェアされるということを、私は後々知ることになる。

打ち合わせは、初めから衝撃的だった。

私と編集者が部屋に入るやいなや、テーブルの前に座っていた斎藤は、挨拶よりも先に喋り始めた。

「今、81歳という後期高齢者を初めて体験しているんだけどね」

挨拶、名刺交換、自己紹介、などの常識的な順序はすっ飛び、一瞬にして斎藤のペースに巻き込まれている。

斎藤は、入れ歯が入りづらいことや、歩くのが大変なこと、それでも人の話を聞くことは疲れないことなどを次々と話し始めた。最近は原稿を書こうとすると、ＹｏｕＴｕｂｅばかり見てしまうのが悩みの種。お気に入りはもっぱら京都橘高校の吹奏楽部が行うマーチングバンドで、素人が撮ったあらゆる角度からの動画がたくさんアップされているのだという。さらにその前は、女性3人組のヘヴィメタルダンスユニット・ＢＡＢＹＭＥＴＡＬにハマってよく見ていたらしい。とても後期高齢者に見えないし、権威ある医者の話とは思えない。隣にいる編集者の啞然としている様子が、顔を見なくても伝わってきた。

だが、長らく本を読んでいた私には、この意味がすぐに分かった。そのカリスマ性から、うっかりすると教祖のように崇められ、過剰な期待を寄せられてしまいがちな斎藤は、神格化されないためにわざと「どこにでもいるただの人」であることを見せているのだ。最初の打ち合わせだからこその洗礼である。

こうして、早くもインタビューが始まってしまったかのような一人語りが30分ほど続いた後、横から秘書の山中が、「センセ、本の話をしないと」と促した。

私は姿勢を正し、編集者が場を仕切り直すように企画書を手に持って読み上げ始めた。

「ええ〜、企画の趣旨といたしましては……」

私は「まずい！」と思った。こんな形式的な話し方では、斎藤の心には響かない。ここでは、本音を喋らなければすぐに見破られる。大人であるとか、社会人であるとか、そうした建前を取り払って、生の言葉を伝えなければ興味を持ってもらえないような気がした。焦った私は、編集者の言葉を遮るようにして、身振り手振りを交えながら自分の熱意を一所懸命に伝えた。それは、「斎藤先生が大好きなんです」を連呼するという、アホ丸出しなプレゼンだったが、ふと見ると斎藤は、片耳を突き出して真剣に聞いている顔をしていた。そして、聞き終えると、面白いものを見るような目で、私にこう言うのだった。

「あなたは写真家でしょう。自分の撮った写真が売れると思っているんだから、図々しいよねぇ」

私は、ムッとした。さんざん本の中で「自分がやりたいことなら、どんどんやってみればいい」と書いていたではないか。しかし、0・1秒後には、これも斎藤流なのだと理解した。わざと逆のことを言って、感情を引き出そうとしているのだ。私は動揺を見せることなく、こう答えた。

「私は先生の本を読んでそうなりました」

斎藤は、フフフと笑った。そして、テーブルの上にある企画書を手に取り、「こういうものも〝フリ〟でしょう。実際に書いてみたら、全然違うものになるかもしれないしね」と言い、「取材できそうな患者の名前をメモしておいたんだけど。あれ、メモはどこに行ったかなぁ」と探し始めた。

私は、すでに取材を受ける準備を進めてくれていたことに驚いたのだった。

さいとうミーティングを見学

とある金曜日の午後1時、最初の取材として、私と編集者は「さいとうミーティング」を見学させてもらうことになった。過去に、デイナイトケアそのものがメディアに取り上げられることはあったが、ミーティングに取材が入るのは初めてだという。プライバシーの関係で、録音はもちろん、部外者はメモを取ることも禁止だからだ。人物が特定できない範囲でできる限り描写しようと思う。

時間になると、参加者がぽつぽつと集まってきて、静かに椅子に座る。私たちは、全体が眺められる隅っこの椅子に座った。定員は15名だが、この日はいつもより少なかったようで集まったのは6名。うち5名が女性である。年齢はまちまちだ。

取材が来ることは、事前に参加者へ告知されていたらしい。私たちは、参加者に挨拶し、企画内容を説明した。斎藤はそれに補足するように「まぁ、インベさんも患者のようなものですから」と言って、ミーティングを始めた。

ミーティングで話すことを、シェアリングと呼ぶ。斎藤は「じゃ、端と端の人でジャンケンして」と言い、勝ったほうから時計回りでシェアすることになった。「では、○○さんから」と斎藤が言うと、最初の女性が、自分の近況について慣れたように話し始めた。もう何度も来ている女性のようで、いきなり前回シェアしたことの続きを始めているような内容だ。

斎藤は彼女の家族構成などもすべて把握しているようだが、初めて来た私は、聞きながら少しずつ状況を理解していく。それは、いわゆる「悩み相談」でイメージされるようなものではなく、家族の誰が入院しているとか、誰の家が火事になったとか、一見すると世間話のように見えた。

それに斎藤も、話を聞きながら「ちょっと、うるさくなるけど」と断りを入れてケトルでお湯を沸かし、インスタントコーヒーを淹れたりしている。それでも、耳はしっかり傾けているようで、たまに聞き取れないと「何て？」と聞き返したりしていた。

ゆるいやりとりではあるが、複数人がいる中で、他人のプライベートな話にジッと耳を傾けるというのは不思議な気分だ。ふと見ると、他の参加者は、下を向いていたり、目を瞑っていたり、お互いのことにはあまり興味がなさそうにしていた。

話が進むにつれ、その女性には研修医の息子がいて、最初はこの息子の不登校の相談で来ていたという経緯が見えてくる。ということは、少なくとも10年は通っているのだろう。当初の問題が解決した後も、斎藤との付き合いを続けているということだ。

斎藤は、女性の話に「それなら〇〇をすればいいでしょう」というような、ごく常識的な助言をし、女性も「そうですよねえ」などと言って、そのまま話は終わった。

次は、強迫性障害を持つ女性だった。やはり斎藤のもとに長く通っているようで、いくらか深刻そうな表情をしている。シェアした内容は自分の育った環境についてだ。幼かった頃の自分と、両親、すでに死んでしまった祖母との人間関係の中で、どのような立場だったかを回想するように話している。

驚くのは、シェアする人が変わった瞬間、ガラリと部屋の空気が変わったことだ。斎藤は先ほどとは打って変わって目つきが鋭く、強い存在感を放っている。その顔はなぜだか若返り、81歳のはずが、50歳に見えるほどだ。スーツを着て椅子にもたれかかり、足を組んでポケットに手を入れながらジッと聞いている姿は、あたかも歴史上の精神分析家を彷彿とさせた。それでも相変わらずコーヒーを飲み、まるで真剣に聞いていることを悟られまいとしているふうにも見える。

その女性の語りからは、祖母からひどく虐げられたような印象を受けたが、特に怒りや悲しみといった感情は感じられない。斎藤は、時折相槌を打つように「児童にそれを言うのは立派な虐待だね」などと言い、女性は「虐待なんですか?」と、少し意外そうに返していた。

しかし、その話に深く食い込んでいくわけでもなく、斎藤は突然、小児性愛者だったある青年の話を始めた。その青年は、自分が幼女しか性愛の対象にできないことを苦にしており、自死を望んでいた。斎藤は、「自殺しないという約束をしなければ診察はできない」と伝えたうえで初診の予約を受けたが、その直前に青年は命を絶ってしまう。目の前にいる女性の話とはまるで関係なさそうだが、斎藤は熱心にその話をしていた。

そして、5分、10分と続けた後、ふいに女性の話に戻り「でもあなた、そのおばあさんのこと愛していたんでしょう?」と、唐突に言うのだった。すると、先ほどまで感情を乗せずに淡々と話していた女性が、急に抑揚を見せ、「そうなんです。私、祖母を愛していたんです。あんなに恨んでいるのに」と言って、涙を流したのである。

私は、慌てて背筋を伸ばした。真剣に見ていたはずなのに、何が起きたのかさっぱり分からない。今の話から、どうしてこのような急展開になっているのだろう？

斎藤は、女性の涙には目もくれず、悠々と解説を始める。

「あなた、今までは症状の話ばかりだったでしょう。でも今日は人間関係の話をしていたんですね。自分では気づいていないかもしれないけど」

女性は、キョトンとしながら「え、でも私、これまでも祖母の話をしていましたよ」と言う。

「そうじゃなくて、文脈が違う。コンテクストというのだけど、人間関係の文脈で話している」

「はぁ」

「スピーチがいいんだよ。一対一の診察とは違って、公衆に語りかけることがスピーチ。街を歩いていて『麻布をご通行中のみなさん、私は祖母を愛しています』って叫ぶようなもの。『粗大ごみ～、何でも回収します』とか『いしや～きいも～』みたいなことを今やったわけ」

斎藤が、やきいも屋の声真似をすると、参加者から笑いが漏れた。一方、女性はハンカチで目頭を押さえている。そのコントラストも異様だった。

最後に斎藤は、「もう症状は必要ないから、これから変わっていきますよ」と付け加え、あっさりと次の人に移るのだった。

私は、狐につままれたような気分だった。斎藤が小児性愛者の青年の話をしていたことがどうつながるのかも、このタイミングで女性が涙を見せた理由も分からない。それに、最初に女性が話し始めた時は、ここまで強い感情を秘めていたことなど、ちっとも気づかなかった。それは、治療やカウンセリングで想像されるような対話ではなく、魔法のような手品のような落語のような「何か」だった。話していた女性の心は、確実に何かが動かされている。そして、斎藤はこれから強迫性障害の症状が良くなっていくことを予言のように伝えている。

これが斎藤の手法なのだろうか。これまで私は単著をすべて読み、おおまかなことは知っているつもりでいたが、実際の現場で行われていることは、まったく本には記されていなかったのだと知り、ショックを受けた。

その後も、シェアする人が変わるたびに、同じ空間とは思えないほど部屋の空気は変化した。それは明らかに斎藤が演出し、つくり上げているものだ。心理療法というより劇場のようである。ある人には、「ストレスに一番いいのは寝ること。そろそろ起きなきゃと思ってから、2時間は寝たほうがいい」と助言する。また別の人には、「あなたは、自分の側に問題があったかは話さないですね。その話になると、シャッターをサッと閉める。私はそこを無理に語らせようとはしません。いつか開くのを待っているだけ」と言い放つ。そして、「あなたはもっと意地の悪い主人公の出てくる小説を読んだほうがいい」と言って、具体的なタイトルを挙げて勧めるのだった。

相談の内容は、職場の人間関係や、夫婦生活、あるいは血糖値の高さだったり、やる気が出ないことなどさまざまだが、斎藤の言葉が入ると、表層ではなく問題の根本にあるものが立体的に見えてくる。それは、この場所で聞いている赤の他人、つまり取材者である私にも覚えのある話につながり、自分の生き方にダイレクトにヒントを与えるのだった。

また、ミーティングを見ていて、すぐに気づくことがあった。それは、参加者の中に、いかにも病人といった風貌の人がいないということだ。勤め人や、主婦や、生活保護受給者など、さまざまな人が来ているが、その辺りを歩いている人と何も変わらない。むしろ、斎藤というトップクラスのアドバイザーを得て生活している特権階級のようにも見えてくるほどだ。

謎めいた力

ミーティングを終えて参加者がはけると、斎藤は少しだけその日のことを解説してくれた。

「今回、一番意味のある話ができたのは、人間関係の文脈で話した女性ですね。まだまだだけど、これから強迫性障害は良くなる方向に向かうでしょう。治るものではないから、長い時間はかかりますけどね。強迫性障害は、自発的にやっている症状だから快楽があるんです。止めたら辛いんですよ。逆に言うと、本人が止める気になったから、今日のような人間関係の話になった。症状の中に、本当の問題は出てきませんから」

その解説を聞いて、あの状況を理解したわけではなかったが、質問が思い浮かぶほど、私の頭は回っていなかった。

取材を終えて外に出ると、編集者は興奮気味に「人間国宝みたいですね！」と言った。やはり、医者とは違うものをイメージするらしい。さらに、「ケトルでお湯を沸かしたり、コーヒーを淹れるのも、きっと全部計算されたテクニックですよ」と、真剣に言い出すのだった。

編集者と別れた後も、私は電車の中で反芻していた。今日見たものが何だったのか分からなかったからだ。すると、ふいに妙なことが頭に浮かんだ。

私は自分の意志で本をつくりたいと思い、どうしたら取材を受けてもらえるか真剣に考えてオファーした。けれど、実は逆で、私のほうが斎藤におびき寄せられたのではないか。私がこれまで、患者ではなく読者という第三者の立場であり続けたことも含め、初めから斎藤の計算のうちだったのではないか。

そんな、あるはずもないオカルティックな想像すら頭をよぎるほど、斎藤には謎めいた力を感じるのであった。

第２章

指先のファンタジー

序章で紹介した痴漢は今、団九郎という名前で、性的問題行動を専門とした心理カウンセラーとして活動している。痴漢行為は、直近15年間していない。

だが、団九郎は言う。

「私は、さいとうクリニックへ行って、ずっと無事だったわけではないんですよ」

一体、この間に何があったのか。まずは、時間を巻き戻そう。

2000年代初頭、当時42歳だった団九郎は、慶應義塾大学病院から紹介されて、さいとうクリニックへ向かった。診察室のドアを開けると、最初に目に飛び込んできたのは、タバコを吸う斎藤の姿だった。そして、開口一番こう言われたという。

「ここは診察室に使っているけど、書斎なんだよ。だからタバコを吸うのは私の自由なんだ」

呆気にとられた団九郎は、えらいところに来ちゃったなあ、と心の中でつぶやきながら席に着いた。面接では、痴漢の話には触れぬまま、これまでの生い立ちについて聞かれたという。団九郎が答えると、斎藤は言った。

「会社勤めで、地域でボランティアもやってたの？　あなたAランクだよ」

Aランク？　団九郎は意味が分からず困惑した。

治療としては、週6日、9時半から19時半まで毎日デイナイトケアに通うよう指示された。

「は？」

朝から晩までって、まるで入院じゃないか。団九郎は心の中でそう思ったが、元来真面目な性格の彼は言われた通りに従った。というより、言われたから行くだけだ。通い始めたところで変化を感じるわけもなく、次第にイライラするようになっていた。

「ミーティングでは、スタッフから『何を喋ってもいいですよ』『吐き出してください』と言われたから、クリニックの悪口とか、全然関係ないことばかり喋っていたんですよ」

そんな日々が半年ほど続いたある日、斎藤がミーティングの席でボソッと言った。

「あなたが語るべきは、そういう話じゃないんじゃないの？」

この時、団九郎は何を言われているのかまったく分からなかったという。黙っていると、斎藤は続けた。

「痴漢ですよ、痴漢」

頭が真っ白になった。さんざん隠してきたのに、みんなの前で、しかも医師から暴露されてしまったのだ。団九郎は、その場では平静を装っていたが、これを機に一気に乱れていく。デイナイトケアへ行ってもカウンセリングの予約はドタキャンし、受付ではスタッフを怒鳴りつけるようになった。すぐに問題となり、「迷惑行為を続けるなら、通院を中断してもらいます」とスタッフから言い渡されると、団九郎は「別にいいっすよ」と吐き捨ててクリニックを去ってしまった。

この時はまだ依存症という自覚がなく、治そうという気もまったくなかったのである。

痴漢を続けて四半世紀

通院を止めた団九郎は、すぐに再犯した。執行猶予中だったため、2件の犯行を合わせて11カ月の実刑となり、初めて刑務所へ入ったのだ。

出所後、行く当てのない団九郎は、とりあえずさいとうクリニックに電話をかけた。けれど、この時の電話は斎藤の耳に入らなかったらしい。前回のトラブルを知っていたスタッフが、受付で連絡を止めてしまったのかもしれない。諦めた団九郎は、治療することなく仕事を探し、大手通信会社で派遣社員として働き始めた。

それから4年ほど経ったある日、新入社員の新人歓迎会が行われた。大卒で入ってきた優秀な若者たちは、蝶よ花よともてはやされている。かたや自分は、転職を繰り返している派遣社員。みじめな自分をごまかすように大酒を飲んだ。そこで、何かがプツリと切れてしまう。

泥酔状態で帰路についた団九郎は、その足で満員電車に飛び乗り、自爆テロのごとく両手をぶん回して手当たり次第に女性の体を触り始めたのだ。周りの乗客も「あれはおかしい」とすぐに気づいた。団九郎が電車を降りると、乗客の一人が追いかけてきたので、彼はそれを振り切るようにして駅の階段を駆け上がった。反対車線のホームに着くと、電車は信号機故障のために停車中で、ホームにまで人が溢れていた。団九郎は、その停車した車内に突っ込んでいくと、またも両手を振り回し、荒れ狂うように女性の体を触りまくったのだ。その姿は、誰がどう見ても痴漢だった。

怒号とともに乗客の一人にタックルされて倒れ込むと、団九郎は地面に頭を押さえつけられて観念した。あっという間に野次馬に取り囲まれ、携帯のカメラで顔面をパシャパシャと撮られていく。奇しくも、絶対にやらないと決めていた最寄り駅での大捕り物であった。

こうして2回目の刑務所行きとなったのである。

出所の日、団九郎はさすがに自分ではどうにもならないことを自覚していた。刑務所を出たその足でさいとうクリニックに電話をかけ、今度はすぐに斎藤へつながった。こうして通院は再開されたのだ。

団九郎は言う。

「とにかくこれはダメだと。四の五の言わずに言われたことは素直にやろうと思って、そこからようやく治療が進みました」

痴漢を始めてから、すでに四半世紀以上が経っていた。

痴漢の誕生

そもそも、なぜ団九郎は痴漢になったのだろう。学生時代から痴漢をしていたことは既述した通りだが、実はそのはるか前から、2歳下の妹の体を触っていたらしい。

「小学生の時に、一緒に寝ていた妹の体を夜な夜な触っていたんですね。だから、私の痴漢行為は突如始まったというより、その時の行為の延長線上にあるような気がするんですよ」

もちろん、そこに同意はない。だんだん妹も「止めてほしい」とハッキリ言うようになったが、団九郎は止めなかった。やがて両親の知るところとなり、寝室が分けられ、妹の部屋には鍵がかけられた。それでも団九郎は鍵を壊して部屋に入った。それは性欲のためではなかったという。

「女性の体の構造はどうなっているんだろうというのが最初にあった。理科の実験みたいな感じ。三つの穴があるって言うけど、どことどこだろうって。それを手で探るみたいなことをしていました。まだ蒙古斑が残っているお尻だったので、エロくも何ともなかったんですけど、パジャマのズボンを後ろから降ろして触っていたんです。そのうち触っていること自体に気持ち良さを感じるようになった。ただ、勃起したり、射精するってことはなかったですね」

その行為は数年間続いていたが、ある事件をきっかけにピタリと止まることになる。それは、中学校に上がってからの性被害体験だった。クラブ活動でスポーツクラブに入部した団九郎は、ある日、顧問である男性教師からシャワー室に呼ばれる。普段から生徒は、顧問に逆らえない雰囲気があったという。

「部活が終わった後に呼ばれて、シャワーを浴びながら顧問から口づけをされたんです」

団九郎が抵抗を示さないと、その行為はエスカレートした。以来、部活のある毎週水曜日の終わりには、必ずシャワー室に呼ばれるようになった。

「2回目には手淫に至って、最後は肛門性交をされた。そんな関係が半年くらい続きました」

その部では、毎年1月2日になると、部員が集まって顧問の自宅に新年の挨拶に行くという恒例行事があった。ところが、なぜか団九郎だけが2日と知らず1日に行ってしまう。顧問は、団九郎が来たことを歓迎すると、かなりの量の酒を飲ませ、「泊まっていきなさい」と言った。この時、家の中には顧問の妻と3人の子どももいたという。

「その夜にも肛門性交されて、『こういうこと妹にもしているんだろう？　やっちゃダメだぞ』みたいなことを言われたんです。どうして知っているんだろうって思いました。顧問は神みたいに崇められていて、前の学校でも不良を立ち直らせたというので地域でも有名な先生だったんです。親父はＰＴＡ会長をしていたから、顧問に相談したんだろうと思いました。そうしたら、肛門性交されてしまったという。ハハ」

団九郎は乾いた声で笑った。衝撃的な話だが、表情を変えることなく淡々と話している。

「別に私も被害者意識はそんなになくて。ものすごく乱暴されていたら被害者意識が芽生えたと思うけど、最終的には気持ち良くさせてくれたんです。射精すると気持ちいいんですよね。もちろん抵抗感がないことはないですよ。でも、男性だから気持ち悪いとかはそんなに思わなかったです」

逆に、顧問から特別扱いされているという意識もあったという。

「期末試験の前に校長室に呼ばれて、そこで手淫をされたんです。終わった後に、『今度の問題はここから出るから、勉強しておけよ』と言われて、取引をされた。結局勉強しなかったので、良い点を取れたわけじゃないんですけどね」

正月を除けば、性加害はすべて学校の中で行われていたということだ。

「私だけじゃなくて、たぶん複数の子どもにしていたんじゃないですか。そもそも、顧問は部活の練習中に気に食わないことがあると、罰として全員を素っ裸にさせてフルチンで走らせるようなことを日常的に行っていましたから」

今なら裁判沙汰になるが、体罰も当たり前に行われていた１９７０年代の話だ。

「全然問題にはならなかったですね。その顧問は周囲からも崇拝されていました」

結果的に団九郎は、これをきっかけとして妹の体に触ることを止めたのだった。

「顧問にされたことが、心のどこかで嫌だったのだと思います。されるのが嫌なら、するのも止めようという感じだったのかな」

しかし後年、団九郎は痴漢行為を始めるようになる。

「斎藤先生からは、その時の性被害体験が痴漢行為とつながっているんじゃないかって言われるんですが、私としては妹の体を触っていた段階で、何か原因があったんじゃないかなって気がするんです。でも、家族じゃない人の体に触るようになるのは、その後だから、顧問との体験がどこかで影響しているのかもしれないですね」

斎藤によれば、男性の性被害者は性加害者になることでトラウマの再上演をすることがあるという。確かに、無断で他人の体に触り、抵抗されなければ同意したとみなす団九郎の性加害は、顧問のやり方とまったく一緒だ。

３００人を前にカミングアウト

通院を再開した団九郎は、電車に乗ることを止め、完全に車で移動するようになった。もちろん、痴漢をしないためだ。これは、今でも続いているという。

「2回目の逮捕で出所した時、これはどうにもならないから電車に乗らなければいいんだっていう結論に至ったんです。電車に乗らなければ、１００％痴漢をやりませんから。それが痴漢をしないで済んでいる物理的な理由ですね。でも、痴漢をしない体になったわけではないんです」

私は〝痴漢をしない体〟という概念があることに驚いてしまった。自分では止められないという、依存症を象徴する言い回しだ。

「電車に乗らなくなった最初の4～5年は、改札前を通ったり、ガード下を車で走る時に、電車を見るだけで心臓の脈拍が上がってドキドキする感じがあったんですよ。それはやっぱり自分でもおかしいなと思っていた。確かに電車に乗らなければ再犯はできないけど、本当にこれで痴漢することを防げるとは思えなかったんです」

そんなある日、斎藤からある提案をされる。それは、前述したJUST主催の講演会アディクションフォーラムで一般の人の前で自分の体験を話すというものだ。JUSTとは、さいとうクリニックの患者が任意で所属し、各々で自助グループを立ち上げるなどの活動をしているNPO法人である。当時は、300人規模のホールを使って、毎年この講演会が行われていた。しかし、クリニック内の閉じられた空間ではなく、一般聴衆もいる中で話すことは、団九郎にも抵抗があった。

「急に言われたから、『それはちょっと考えます。両親にも相談してみないといけないので』と言ったら、先生が『いや、そんなことはさせません』って言うんです。どうやってさせないのかなって思いましたけど」

なかば強引に押し切られる形で、団九郎は登壇することになった。とはいえ、人前で痴漢をカミングアウトすることはハードルが高い。当日、控室に行くと、心配した秘書の山中が顔を隠すためのお面を用意して待っていた。

「もし必要だったら、これを使って」

見るとそこには、ひょっとことジェイソンのお面が置いてある。

「どっちを被る?」

そう言われた団九郎は、そのお面に何か思うところがあったのか、顔を晒して登壇することを選んだのだった。

客席には、患者も多く来ていた。特に、さいとうクリニックの患者は8割が女性だ。性被害経験のある女性も多い。団九郎は、ブーイングが来ることを覚悟していた。

壇上に立つと、もはや何を話しているのかも分からないくらい無我夢中で自分のことを喋ったという。ところが、イベント終了後、思わぬ反応が返ってきた。壇上から客席に降りると一人の女性が駆け寄ってきて、「素晴らしかったです。感動しました」と言い、握手を求めてきたのだ。

「そもそも、話を聞いてくれる人がいるとは思っていなかったし、場合によっては家族にも迷惑がかかると思っていましたから。『感動しました、頑張ってください』って手を握ってくれる女性がいるとは思いもしなかったので驚きました」

さらに、痴漢被害によく遭っていたが誰にも話せなかったという他の女性からも、「団九郎さんのように反省して頑張っている人がいるなら、許して応援したいと思います」という声が届いた。

「今まで何を隠していたんだろうって思った。話を聞いてくれる人がいるんだと分かって、気が楽になったんです。自分が話すことで救われる被害者さえいるという、思ってもみない発見もあったし、自分が自分のままでいられる可能性を感じました」

それ以来、団九郎はミーティングでシェアする時も「痴漢の団九郎です」（ここでは本名）と最初に挨拶するようになった。自分のしてきた行為についても包み隠さず語るようになり、団九郎の痴漢は、いつしか斎藤から「指先のファンタジー」と呼ばれるようになった。

こうして自分を隠すことがなくなると、団九郎の中に変化が起きたという。

「電車の傍を通ったり、改札を見たりしても、動悸がすることがだんだん減っていったんですよ」

それは、痴漢をしない体へと変わったことを意味していた。

「いくら電車に乗らないといっても、痴漢をしようと思えばできる環境じゃないですか。それでもしないで済んでいるのは、人との関係性が変わったことが大きいですね。昔は表向きだけだったものが、自分の中身を晒しても人と関わることができると分かってから、ワンランク上がった感じがしているんです」

では、そもそも痴漢だった時は、どういう人間関係を築いていたのだろう。

「自分で言うのもおかしいですが、〝いい人〟ってよく言われるんです。表向きは真面目な会社員をやり、ボランティアをやり、良いと言われていることは率先してやるタイプ。二面性があるんです」

その〝いい人〟が、なぜ痴漢に走るのか。

「極端に言うと、痴漢をしていないと生きていけなかったんです。それ以外の場所では、親の前でも、会社でも、地域でボランティアをやっていても、自分の正直な感情を出せないし、気持ちも言えない。言われた通りのことをやるだけ。反発心は芽生えるんだけど、自分の気持ちを発散する場がない。そもそも自分の感情が分からないから、自分が不満を持っていることさえ気づいていないんです。だから当然、言葉にもできないし、行動にもならない。だけどストレスは溜まっているんですよ。それが自分では意識しないままに、痴漢行為によって発散されるから繰り返してしまう」

女性に触ることでしか得られないものがあったのだろうか。

「まともに女の子とコミュニケーションは取れないけど、一方的にせよ体に触れることで、コミュニケーションを取れているっていう感覚があるわけですよ。だから、触れただけですごくホッとした感じがあるんです」

団九郎は、この「ホッとする」という表現をよく使った。求めていたのは、コミュニケーションなのか。

「勃起することが目的で触っていることはほとんどないんです。触っているうちに、どんどん相手が受け入れてくれる状態になって、その女性との関係性ができ上がっていると思えてくる。その女性との間では拒否されることもないということに安心して、結果的に性的に興奮するんです」

通常それは恋愛で始まるものだが、団九郎の場合は痴漢になってしまうのだろうか。

「性的な関係を持つためのコミュニケーションというのがどうしてもできなかったんですね。例えば、女性と仲良くなって、結果的にその相手と性行為に及ぶ時は、同意があって触るわけですよね。でも、その触れている感覚は、痴漢をしている感じに近い。顔がばれているのに痴漢をしているみたいな気持ちになってしまうんです」

何とも不思議な感覚だ。しかし、そうしたこともデイナイトケアに通ううちに変わってきたという。先にも言ったように、さいとうクリニックの患者は、8割が女性だ。JUSTの活動の中では、自然と女性と接する機会も増えてくる。

「結構、モテてくるっていうのか、中には『団九郎さんのことが好き』みたいに言ってくれる女性もいました。その時の表現が『セックスしたいほど好き』だったんですよ。それを聞いて、『セックス』と『好き』がつながっていなかった私には衝撃でした」

私には、それを衝撃と言う団九郎のほうが衝撃だった。

「でも、好きだからセックスするって、よく考えたら普通のことじゃないですか。私の中では、セックスというのはいけないことっていうか、相手を侵襲するとか、自分の欲求を満たすための行為という認識がありました。だから、相手を愛することはものすごく縁遠いものだと思っていたんです。でも、その女性の言葉を聞いた時に、自分には性行為とコミュニケーションが乖離しているところがあると気づいたんです」

埋め込まれた時限爆弾

2014年、斎藤は、回復した患者をその分野のカウンセラーとして育てるため、「リカバリングアドバイザー養成講座」という教育システムをつくった。1年間の講座を修了すると、斎藤学が認定するリカバリングアドバイザーとして登録ができる仕組みだ。もちろん民間の資格なので、プロとして活動するためには国家資格も同時に取得することを斎藤は勧めている。

団九郎は言う。

「斎藤先生としては、私を痴漢カウンセラーにするために、この教育システムを考えたみたいです。『あなたのためにつくったんだから、無料でいいよ』って言われたんですけど、最初は参加を迷っていました」

団九郎は結局、2期目からの参加となるが、その後、精神保健福祉士の資格も取り、カウンセラーとしての道を進むことになったのである。

斎藤は常々、アディクションの問題は医者には治せないと言っている。特に性倒錯に関しては、

「痴漢のことは痴漢にしか分からない。医者が治そうと思ったら、1回痴漢をやってみろって話になるよ」と言う。

現在、この教育システムはなくなり、代わりに「RAカフェ[*1]」という名称で簡易的に残っているのみだが、団九郎の他にも数多くの患者がリカバリングアドバイザーとしてさまざまな場所で活動しているという。

斎藤としては、自分の抱える問題のカウンセラーになることが、自身の回復にもつながると考えている。つまり、これも治療の一環なのだ。そうした斎藤の治療法について、団九郎はこう語る。

「斎藤先生は、診てなんぼじゃないんですよね。その人がどういうふうに生きていくかっていう、死ぬまでのビジョンを描いて、それをどう実現させるかということを考える。一般のクリニックとは違います」

ということは、団九郎の人生は斎藤が描いた通りになっているということだろうか。

「たぶん、斎藤先生が時限爆弾のような何かを私に仕込んだんです。私がどう考えようと、先生が描いた通りに私が動くよう、どこかに何かを仕込んだんですよ」

何だかすごい話になってきた。時限爆弾とは何なのか。

「結果を見ると、結局先生が言った通りになっているじゃん、みたいな。長く付き合っていくなかで、斎藤先生の形にされていくみたいなイメージです」

団九郎の言っていることがよく分からない。もう少し詳しく聞くと、彼は「言葉で説明するのは難しい気もしますけど……」と言い、しばらく考え込んでからこう答えた。

「斎藤先生はよく、『自分は狛犬みたいなものだ』ってお話しされるんですね。神社に行けば必ずいるもの。狛犬は石で動かないから、今日はいないということはない。いつ何時でもそこにいて、心の支えになる。だから、斎藤先生と関わった時間とか、言われて影響を受けたことは、なくならずに狛犬みたいな感じで、自分の中にある気がする。斎藤先生にいつも見られている感じっていうのかな。〝いつも〟っていうのは言い過ぎだけど、何かあった時に斎藤先生だったらこう考えるかな、とかは思う」

では、斎藤には一体どんな思惑があるのか。後日聞いてみると、斎藤はこのように語った。

「言ってみれば団九郎の未来は、私がつくったようなものだよ。私は、〝未来の自分〟が〝現在〟をつくるってことは起こりうると思っている。今日初めて会った人でも、その人は何年後かの自分に言われて来たって考え方をしているんです」

私はますます混乱した。

「刑務所2回入って、出てきた団九郎がまたすぐここへ来たっていうのも不思議な話でね。刑務所から解放されたんだから、普通は痴漢するじゃない。でも、痴漢は二度としてはならないと思ったりしてさ。私のところに来ても効果がなかったから、捕まって刑務所に入ったわけでしょ？　だったら普通、ここに来ないじゃん」

確かに、治療効果を感じなかったのに再び来るのは、おかしなことだ。

「刑務所を出て、すぐに戻ってくる痴漢なんて初めてだったんだよ。しかも、その時団九郎は無職だろ。だから私は、『君の使命は、こういう世界で困っている人を救うことだ。現に、私には治せない。君が治せ』って言ったんだよ。『君は痴漢カウンセラーになることが運命づけられている。日本で初めて痴漢カウンセラーを名乗るんだ！』って。はっはっは！　だから今の2023年の団九郎に触発されて、当時の団九郎が真面目にクリニックへ通うようになったとも言えるわけ」

それを聞いて、私は最初の打ち合わせの日を思い出した。あの日、私は斎藤から不思議な力を感じ、実は私のほうが斎藤におびき寄せられて取材をすることになったのではないかという、ありえるはずのない疑念に駆られた。あの感覚は、もしかすると私だけでなく、斎藤と関わった多くの人が感じるものなのかもしれない。

斎藤は、ある日のRAカフェでも、受講者にこう語っていた。

「一人の痴漢カウンセラーがいれば、生涯に1000人の痴漢を診ることができる。今でも万単位の被害者がいるんだから、それだけで日本の女性たちはだいぶ救われる。私は、みなさんが想像できないほど団九郎さんには期待していますよ」

斎藤は、未来の被害者を減らすべく、団九郎を痴漢カウンセラー[*2]にしたのだ。

それにしても、団九郎の言う時限爆弾とは何なのか。どうにも知れば知るほど謎が深まるのだった。

＊1　https://pias-azabu.jp/racafe-2-2/

＊2　https://www.dankuro.com/

第３章

36時間ぶっ通しゲーム配信

某日、ミーティングが終わると、見学していた私に声をかけてきた人物がいた。元引きこもりで、ゲーム依存症だったという梶原周平だ。

「ミーティングでは、本音を話すほうがいいと斎藤先生から言われているので、普段言えないような話で盛り上がるんですよ」

彼はこの日、騒音問題で揉めている階下の住人に対する殺意について語っていた。

身長は見上げるほど高く、毛量の多い黒髪にカジュアルな白いシャツ。シェアした内容とは裏腹に、爽やかな雰囲気だ。現在は、クリニックで知り合った女性患者と結婚し、子どもが一人いるという。

後日、彼をインタビューすることになった。

約束の少し前に出版社の会議室に現れた梶原は、席に着くなりノートパソコンを開いてこう言った。

「精神科の受診も4軒目だったので、自分の病歴をまとめました。お渡ししたほうが早いので、WordはA4、ExcelはA3用紙でデータを印刷して頂けますか」

何だか会議が始まるかのようだ。出力されたプリントを見ると、0歳から始まる人生年表に、職歴、引きこもり歴、逃避歴、虐待・暴力歴、病歴などが細かく記されている。最後の日付は、

２０１６年6月15日で「さいとうクリニック初診」と書いてあった。当時34歳であったことが分かる。さらに、私が先に渡していた主な質問内容への答えを、Ｗｏｒｄで原稿にしてきたという。

あまりの完璧さに、私は思わず「すごいですね」と声をあげた。

「中学生の時に通っていた学習塾では、パーフェクト梶原と呼ばれていました。昔から一貫して完璧さに対する強迫性障害があるんです」

だが、そんな梶原は、さいとうクリニックを受診するまでの29歳から34歳まで、引きこもりだったという。

「一番ひどい時は、36時間ぶっ通しでゲームを続けて、18時間寝るという生活を繰り返していました。でも、斎藤先生に出会うまでゲーム依存症という自覚はなかったです。楽しんでもいなかったかなぁ」

懐かしい過去を思い出すように、そう言った。現在、通院歴は7年目になる。梶原は、プリントを読み上げながら、まるで授業を進めるように自らの半生を語り始めた。

暴力的な父親

梶原の父親は、規則的な生活を送っている人だった。毎朝7時に起床すると、まずはトイレに30分間入る。8時15分になると自転車に乗って会社へ向かい、18時55分から19時の間に必ず帰宅する。家に帰ると、19時からの「NHKニュース」、さらにチャンネルを変え、「ニュースステーション」を見て、ビールを飲む。酒癖は悪く、毎日酔っぱらっては家族に絡み、時に激しい暴力を振るった。母親はそんな夫を甲斐甲斐しく支えながら、家事育児をこなす専業主婦だった。姉と梶原の二人は、父親への愚痴を聞かされ育ったという。

「当時は、母が被害者で父が加害者であると思い込んでいました。優しい母のことが大好きだったんです」

梶原はときおり顔を上げて、「気になるところがあれば聞いてください」と言い、再び続きを読んだ。

梶原が幼稚園に入ると、母親は自動車教習所へ通い始めた。ところが、母親が免許を取得したとたん、父親は「車は買わない」と言い出した。勉強している姿をずっと見ていた梶原は、無力感に打ちのめされる母親の涙を今も覚えているという。

「子どもながらに、泣いている母がとても可哀相でした。アルコール依存症になる男は、根っこは気が弱くて自信がなく、シラフじゃ言いたいことが言えないからお酒で気を大きくする。実は妻のほうが優秀なケースが多いらしいんですよ。だから、母の足をまず奪った。自由に動けないようにして、束縛したかったんじゃないかと今は思っています」

ある日、父親が怒って母親に暴力を振るい、部屋の隅っこまで追い詰めていた。この時母親が「警察を呼んで！」と叫んだという。

「両親の間に割り込んで、母の代わりに私が父に殴られました。その時母にしがみついて、意味もよく分からないまま『離婚しないでー！』と叫んでいました。すぐ離婚すべきなのに、母は当時の私に呪いをかけられてますよね。両親は愛のない関係でした」

その後、母親はキリスト教に入信。カトリックへの信仰が現実逃避になった。一方、梶原はゲームボーイを買ってもらったことで、ゲームへの逃避が始まる。幼稚園児の頃からすでに同級生とは馴染めずにいたが、小学校4年生のある日、クラスの女子と喧嘩して蹴り飛ばしたことをきっかけに、たちまち学年全員から避けられるようになったという。

「私が近づくと、キャーと叫んで、気持ち悪がって逃げていきました」

中学校へ上がると、サッカー部を辞めたことが原因で男子から暴力を受けるようになる。梶原が教室に入ると、蹴りが飛び、授業中は机や椅子で押しつぶされたりしたという。梶原は、いじめられた原因について、こう語る。

「父から、人を怒らせるような挑発的な発言を教わったのだと思います。母からは、愚痴、悪口、自慢、逆ギレを教わった。それだとやっぱり友達はつくれないと思うんです」

この頃から、梶原は家に帰ると母親に暴力を振るうようになっていった。

搾取されるワーカホリック

高校は地元を離れ、往復2時間半かかる学校に入学した。そして、アルバイトに明け暮れるようになる。平日は、授業の後に5時間働き、土日は8時間働いた。授業中は寝ているだけだった。

「この頃から仕事依存が出ていました。いつも忙しくしていたというか、虚無感から逃れたかったんだと思います」

高校を卒業すると、梶原は新聞奨学生として住み込みで配達をしながら専門学校へ通ったが、体力的な限界を感じ、3ヵ月で不登校になり1年で退学。その後実家に戻り、初めての引きこもり生活が始まる。

「この頃、胃がんになった母に『死ね』って言いました。母からの心配や干渉が鬱陶しかったんだと思います」

アルバイトを経て1年後、21歳で初めて就職したが、人間関係がうまくいかず半年で退職。2社目は、高圧洗浄機を使ってエアコンの掃除をする仕事に就いた。だが、月400時間働いても、月給5万円という見事なブラック企業だった。しかし、梶原は昇進するたびに給料が8万円、13万円と増え、社内でも最優秀賞で表彰されていた。搾取されていることにはまったく気がつかなかったという。

「自己啓発を社員研修に積極的に取り入れていた会社だったので、私はカモになっていたと思います。その会社に入って、3年目で死にたくなりました」

とはいえ、死にたい理由は過労ではなく、人間関係だったという。

「出世は早かったですね。仕事への不安感が強かったので、残業ばっかりしていました。だけど、部下ができたらマネジメントができなかった。部下を怒鳴って殴っていました」

暴力を振るわれた部下は、次々と辞めていった。それに伴い梶原にも自殺念慮が募っていき、精神科でうつ病の診断を受け、1年後には退職した。

次の会社でも、相変わらず人間関係はうまくいかなかった。新入社員研修の打ち上げでは、梶原一人だけが呼ばれず、あげくの果てに体調不良で休職。休職中は事あるごとに上司から呼び出され、他の社員の前で見せしめのように怒鳴られていたという。

「自主退職してほしかったんだと思います。怒鳴られている時は何も感じないけど、家に帰ってシャワーを浴びていると、上司に対する憎悪が湧き、殺意が燃え上がるようでした。最後は客先でキレて、自主退職扱いでのクビを受け入れました。仕事をなくしたら男としては終わりだと思い込んでいたんですけど、しがみつくのに疲れたんです」

もっとも、ワーカホリックな梶原にとって、過労から抜け出せたことは良いことだったという。そんな梶原を当時救ったのが、休職と同時に飼い始めたペットの猫2匹だった。

「猫と過ごしたことで、疲れを感じることができるようになりました。猫は、ずっと寄り添ってくれました。猫に愛も教わったのだと思います」

孤立

ゲーム依存が加速していくのはこの頃からだった。就職活動はうまくいかず、書類で通っても面接で落とされた。そんな日々が続くうちに、梶原は本格的な引きこもり生活に突入していく。

「ゲームの実況配信を始めました。睡眠薬がなければ眠れないほど脳が覚醒していたので、36

時間配信して、18時間寝るという生活をしていました。でもそれは、最初の6ヵ月だけ。そこからどんどん眠れるようになった。ストレスがなければ、人は半日も遊べば疲れるし眠くもなる。僕の病気は抗精神病薬じゃ治らないし、薬は効かないんだって気づきました」

失業保険が切れた後は、母親からの仕送りに頼っていた。電話を1本かけると、母親から50万円が振り込まれる。しかし、4年が過ぎた頃、さすがに母親も送金を渋るようになった。そして、引きこもり生活が5年を迎えた頃、飼い猫の1匹が急性腎不全で死んでしまう。梶原はショックを受けた。

「猫が1匹死んでからは、家に引きこもっていると怒りが止まらなくなりました。その頃、オンライン上で付き合いのあった友達に、手当たり次第に八つ当たりをしていました。父と母がよくやっていた、愚痴、悪口、嫌味ですね。次第に孤立していきました」

今でこそ冷静に語る梶原だが、当時は嫌われることをしている自覚がなかったという。

「感情鈍麻だったんでしょう。両親はあんなだし、いちいち悲しんでいたら生きていけないから、涙も出なくて、誰にも心を開けないから人に甘えたり慰めたりしてもらうこともできなかった」

オンラインの友達がいなくなると、家にいるのも苦しくなり、保護猫シェルターでボランティアを始めることにした。しかし、前日になると、働く約束をきちんと守れるのか不安でたまらなくなる。緊張で眠れず、当日の朝にドタキャンするということを繰り返した。気まずくなり、人を避けるように孤立していった。

そんな時、ネット検索をしていて見つけたのが、斎藤の著書『家族依存症』だった。

「アルコール依存症の親がいる家庭に育った子どもたちは、自尊心が低く、自信がなく、何のために生きているのか分からない。自主性もなく、目的もなく、人に利用されるがままに流されて、泥沼にハマっていることとすらも気がつかない。共依存的な人間関係を好み、承認欲求を満たすためなら何でもする。本を読んで、自分の問題はこれだと気づきました」

その後、斎藤の著書を4冊ほど読み、親の仕送りが有害であることに気がついた。それは問題の先送りであり、親からの支配に当たるからだ。梶原は、中断していた精神科クリニックへの通院を再開し、書類を揃えて生活保護を受給した。そして、ケースワーカーの勧めで、さいとうクリニックへとつながったのである。

ショックを受ける

初診は2016年、34歳の時だった。斎藤の前に座った梶原は、長い引きこもり生活のため髪が肩まで伸び、服装はアキバ系のオタクで、ギャルゲームのグッズを身に着けていたという。

Ｅｘｃｅｌでつくった人生年表も、この日のために用意したものだ。すでに斎藤の著書を読んで自己理解を深めていたため、親に虐待されていたことや、暴力を振るわれていたこと、親から教わったバッドコミュニケーションのせいで人間関係がうまくいかないことなどを一所懸命に伝えた。

そんな梶原を見て、斎藤は言った。

「男なんて診たってつまんないよ」

当時を振り返って、梶原はこう語る。

「結構ショックでしたね。『君みたいなナルシストを診たってつまらない』って、追い打ちまでかけられちゃって」

しかし梶原は、これこそが斎藤のやり方だと語る。

「定番の手法ですね。患者をアッと驚かす。その人が考えもしない一言、一番言われたくないことを言うんです」

そう言われても意味がよく分からない。つまり斎藤は、梶原の一番言われたくないことが分かって、あえて言ったということなのか。

「見抜いたんです！」

私が唖然としていると、梶原は続けた。

「斎藤先生は、もう診察室のドアを開けた時から、その人が分かると言っていました。容姿、髪型、化粧、服装、所作、表情、目線、呼吸、緊張や強張りといった非言語メッセージである筋肉まで見ているそうです」

私はヒヤッとした。それはつまり、取材者である私自身も当然見られているということだ。最初の打ち合わせでムッとさせられたことも、やはり手法だったのだろうか。私は患者ではなく取材者のはずだが……。

「斎藤先生の面接は患者のプライドというか、自意識に傷をつけるんですよね。帰りの電車の中で思い出して、だんだんイライラしてくるように仕向けているそうです」

やけに詳しいのは、梶原もリカバリングアドバイザー養成講座を受けていたからだ。今は、その後身であるRAカフェにも通っている。

斎藤の手法は昔から独自のスタイルだったが、現在はそうした治療法に「PIAS(ピアス)」という名称がつけられている。「パラドキシカル・インターベンション・アプローチ・バイ・サイトウ」の略で、ピアでも良かったが、ピアスのほうが響きがいいということからBy斎藤を入れたらしい。PIASは斎藤の流儀で、他人から教わったり借りたりしたものではないという。

後日、私はこの「男なんて診たってつまんないよ」という発言について、「これはPIASの手法なんでしょうか」と、直接聞いてみた。すると、斎藤は驚いた顔でこう言うのだった。

「手法？　私の？　手法じゃなくて本音を言っただけだよ。でかくて健康そうな男が入ってきたからね」

何だか煙に巻かれた気がしないでもないが、手法というほど計算ずくでやっているわけでもないのかもしれない。

ひねくれものに薬は効かない

面接を受けた梶原は、斎藤の勧めでデイナイトケアに通うようになった。2、3日も行くと手応えを感じ、すぐに転院することを決めた。そして、週6日間、完璧に通うようになったのである。

「休むことが苦手で、ここでもワーカホリックだったと思います。デイナイトケアには、1限から4限までのプログラムがあって、強迫的に毎日4限とも出ていました。さいとうミーティング、心理療法、ボディワーク——。女性クローズドのもの以外は、すべてのプログラムに参加しました」

当時のさいとうミーティングは大盛況で、参加には人数制限があったらしい。シェアできる人数は、朝9時に来た人から早い者勝ちで7人まで。聴衆の椅子は40人分だが、立ち見がいたり、廊下で見ている人がいたり、最盛期には別室のモニターで見る人もいたという。

梶原は言う。

「依存症になる人って、現実と折り合いがつかなくて、その理由にも気づいていないんですよ。斎藤先生は、『君たちはひねくれものなので薬は効かない。ミーティングに出続けなさい』って言います。ミーティングで自分が一番話したくないこと、恥ずかしい話をすることが、もっとも治療効果が高いらしいです」

しかし、やっていることは、人前で話すということと、話を聞くということだけだ。そこでどんな効果が得られるのだろう。

「話を聞いていると、結構みんな真剣に悩んでいるんですよね。その中で、自分にも当てはまる問題って当然出てくるわけなんです。例えば、人のお世話が止められなくていつも苦しいとか。あっ、これは自分にも当てはまるなって気づくと、その瞬間に回復へ向かう。話を聞いている過程でそのことに気がついて、言語化できるようになり、自分の課題として向き合えるようになるんです。それに直接指摘されるとムッとすることも、他人の物語なら共感して聞けます。ミーティングの聴衆は防衛が弱まっているそうです」

ミーティングに出るうちに、梶原は自分だけでなく、両親のことも客観的に見えてきたという。

「私の父はお酒を飲むと暴力を振るう人だったので、母のことは被害者だと思っていました。でも、今の私から見れば、母も不平、不満、愚痴、悪口、言い訳などで父を追い詰めて、アルコール依存症の夫に育てていた。実は調べてみたら、母の3姉妹全員がバタードウーマン（夫から暴力を振るわれる女性）だったんです。アルコール依存症だった母方の祖父から、〝暴力を振るわれることこそ妻の役目〟と鍛えられた。時代のせいもあったとはいえ、その過ちに向き合えなかった母も共犯であり加害者なんだと思いました」

引きこもりの結婚

前述した通り、梶原はクリニックで知り合った女性患者と結婚し、子どもが一人いる。引きこもり生活から結婚というのは、随分な飛躍に感じるが、デイナイトケアに通い始めてから梶原は、女性患者に片っ端から声をかけるようになったらしい。それも、突然隣に座って話しかけるという強引な距離の詰め方だったので、多くの女性患者からは嫌われていたようだ。しかし、斎藤のポリシーとして、クリニック内での恋愛は自由だった。

「恋愛シミュレーションゲームをしている感覚だったんですよ。その時、気になっている女性が5人くらいいて、たまたま好感度が上がって攻略ルートに入ったのが今の妻だった。要するに、当時の気持ち悪い私に根気よく付き合ってくれたのが妻だけだったんです」

妻となった女性は、回避性パーソナリティ障害で自己主張が苦手だった。当時クリニック内にあった食堂の隅っこで、いつも誰かに気づいてほしそうな様子でご飯を食べていたという。梶原は、その姿を見ただけで好きになったのだ。

「私と妻はお互いを傷つけ合う共依存的な関係だと思います。こういう関係のことを斎藤先生は恋愛依存症だとおっしゃいます」

梶原は、好きな女性ができるたびに、面接で斎藤に相談していた。そして、斎藤もそれに対し助言をしていたという。

「別の子の話をした時は、『その子は止めたほうがいい。母親との問題が残っている人だから、君とうまくいくわけがない』と言われました。でも、妻の話をした時は『プライドが高過ぎないから、その子がいいよ』って勧められました。妻は生活保護でも結婚してくれました。この結婚指輪も100円のステンレス製です」

そう言うと、梶原は左手の薬指を見せた。まるで精神科ではなく、結婚相談所のようだ。女性患者が8割を占めていれば、男性患者にとっては恵まれた環境だろう。実際、さいとうクリニックでは、患者同士で結婚するケースがたびたびあるようだ。そして、斎藤も患者には結婚を勧めているという。

「斎藤先生は、『年内結婚』『年内着床』とか、よくおっしゃっています。結婚したり、子どもができたりすれば、毎日が忙しくなるじゃないですか。神経症は暇だから起こるので、忙しければある程度の症状は治まるんですよ」

とはいえ、斎藤が患者同士を引き合わせたり、くっつけたりするわけではない。あくまで、相談された時に意見を言うだけだ。

「斎藤先生は、自分は銅鑼だからって、よくおっしゃいますね」

「銅鑼？」

私は思わず聞き返した。団九郎の時は「狛犬」が出てきたが、今度は「銅鑼」なのか。

「銅鑼だから強く叩かないと響かないよって」

しかし、私には不思議だった。斎藤はこれまで、DVや児童虐待の問題を世に訴え「家族はそれほど良いものではない」ということを、本で語っていた。私はてっきり、「結婚なんて無理にするものではない」という考えを持っているのかと思っていた。

その疑問をぶつけると、梶原は言った。

「斎藤先生はよく、『私のところに持ってくる悩みは二つ』とおっしゃっています。食べることと子孫を残すことの二つ。生物学的に見て、この二つ以外であるわけがないって。でも、最初からそのことに直面できないので、眠れない、死にたい、体が痛いなどの症状を初診の入場券にやってくる。先生は、『症状は切符』と教えてくださいました」

あらゆる症状は、この悩みにつながるということだろうか。私は何だか怖くなってきてしまった。

「先生が最初から本題に首を突っ込むと、自分と向き合うのが怖くなって患者さんが逃げちゃうそうなんですよ。すると先生との関係が深まらない。私みたいに最初から底をついていて先生しかすがるものがないと、ガンガン銅鑼を鳴らすし、先生もガンガン応えてくれる。でも、ど直球の患者ばかりじゃないんです。本気で先生に向かっていかなければ先生は何も応えない。先生はいつか話してくれるのを気長に待つことで、時間を味方につけるそうです。だから関係が10年以上になる人もいる。患者さんによっては全然ピンとこなかったと言って、離れていくことも多々あるそうです」

〝呪われた遺伝子〟からの脱却

梶原夫妻は、別々にミーティングに参加することもあれば、夫婦揃ってカウンセリングを受けることもある。離婚の危機もあったが、そのたびに診察を受けて乗り切った。つまり、夫婦は今も斎藤を必要としているのだ。

「子どもが3歳なんですけど、生意気ざかりなんです。昨日も、叩いたり蹴ったり、ふんづけたりしちゃいました。暴力ですよね。でも、子どもには自分と同じ目に遭わせたくないと思っているので斎藤先生に相談しています。その過程で、自分の中で父親像というものが見えてきたらいいなと思っています」

暴力の話を普通にするので驚いてしまった。しかし、こうした衝動についても、梶原は客観的に分析している。

「母を困らせる父が許せないという気持ちがまだ残っているんですね。だから、母(妻)を困らせる息子も許せなくなる。それをまだ手放せなくて困っているんです」

父親と息子が重なってしまうということだ。そこまで自覚を持っていてもなお、成育歴の影響が断ち切れないのだろうか。

「例えば、子どもがわがままを言ったり、食事中にテーブルの上でご飯をひっくり返したりすると、実際はやらないけど頭をつかんで壁にガンガンぶつけたい衝動に駆られる。一度一線を超えてしまった人って、自分をすごく責める。暴力を振るってしまった自分自身を責めることで、自分も加害してるんですよね。だから次はもっと懲らしめたくなる。負の連鎖です」

梶原が現在も生活保護を受けているのは、長い目で見た回復を優先しているからだという。

「最初は、生活保護を受けていることに対する偏見と罪悪感が強かったんです。でも、斎藤先生は、『仕事は薬にもなるけど、毒にもなる。やりたくもない仕事をして社会に出ても、失敗してすぐに辞めることになるから、その時は今よりも君の引きこもりが強くなるだけだ』とおっしゃった。だから、まずは、治療に専念しています」

一方の斎藤は、梶原についてこう語る。

「梶原君には、ここよりも就労支援みたいな場所を主にしたほうがいいと言っているんですよ。もちろん、ここへ来たければ来ればいい。でも、こちらに足が向かなくなるのが望ましいんじゃないかと思います。つまり、ここでやることはできたなと私は思っています」

斎藤は、自分の役目は済んだと考えているようだ。

「梶原君が偉いなと思うのは、ちょっと小ざっぱりしてるなっていう女性にはみんな声かけたところ。でも、みんなに嫌われてるの。だって全員に声かけるんだもん。違うじゃんそれ。ハハハ。そのうち、一人だけ『私のことを好いてくれた人がいる』って言ってね。その人と一緒になったの。オスって、本来そういうふうにしないといけないんだけど、そういうの今の人は絶対にやらないじゃない」

だが、梶原は、初めから結婚に積極的だったわけではないようだ。梶原は言う。

「19歳の時に専門学校へ通えなくなって引きこもった頃から、ずっと自分の遺伝子は残さないほうがいいと思っていたんですよ。呪われた遺伝子だと信じていた。斎藤先生に出会って、多くの患者に結婚を勧めているのを間近で見るまでは、自分も結婚して子どもをつくっていいだなんて思えなかったんです」

しかし、長年、斎藤の著書を読んでいた私には、まだ腑に落ちないものがあった。クリニックに来る患者の多くは、機能不全家庭で育っている。親を恨んでいる人も多いようだ。虐待は連鎖するとよく言われるが、そうした家系で育った人の結婚や出産にリスクはないのだろうか。そう聞くと、斎藤は言った。

「私は家系と思っていないからさ。だってそんなこと言えば、日本人なんて気質、体質、遺伝的にみんな病人よ。几帳面過ぎて、他国の人はみんな驚いてるじゃない。木造建造物でも、手で何ミクロンみたいな精度で木々を組み入れちゃったり、穴と穴を組み合わせてつくっただけの建築物が1000年以上残ったりしているって変でしょう。地震や火事が起こっても、日本では建物が残ってるじゃない。それはどこか強迫的で、細かいところばかりこだわっている、ちょっとしたことも気になってしょうがないからなんだよ」

そう言われると、確かに細かいことを気にし過ぎているだけというふうにも思えてくる。さらに、斎藤は、梶原についてこう語った。

「彼は、部下が自分の思うように働かないっていうんで、ひっぱたいちゃってクビになったわけですよね。結局何の病気かと言えば、私はあんまり使いたくないけど、ASDとかADHDとか、そっちの系統の人だよね。そこの表で言うなら、分類1」

そう言って、斎藤はホワイトボードを指した。見ると、ちょうどRAカフェで使った後で授業の内容が書かれている。人間の特性をいくつかに分類した表だ。その中に「普通病」というのがあった。

「私の分類だと、普通の人は『普通病』っていう病気なんだよ。だってさ、アル中の妻なんて、不幸かもしれないけど症状は別にないでしょう。逆に一人の男を背負って生きているんだから、生き生きしちゃってるんだよ。でも、やっぱり病気だと思うんだよ。夫のために何もかも犠牲にして、不幸になるに決まっていることにエネルギーを注ぐって異常だと思うんだよ。そういう普通という病気もある。まあ、それには共依存という名前がついている。これは、家族をつくっていく時の接着剤としても重要。だから、人が家族をつくったというよりも、共依存的な関係を持った猿が人になったわけだよ」

私は思わず「ああっ！」と、変な声を上げて納得してしまった。

梶原は斎藤と出会い、自分を知ったことで一歩一歩前に進んでいる。他方、梶原の両親は、おそらく自分たちに問題があるという自覚すらないだろう。今の両親の様子について聞いてみると、梶原は顔色一つ変えずにこう答えた。

「父は定年退職してから、3年間風呂に入らず、5年間外出していないんですよ」

驚いた。まさか、父親のほうが引きこもりになってしまうとは。

「父はずっとテレビを見て、新聞を読んでラジオを聞いて一日を過ごしています。体力的にも弱ってきて暴力には至らない。母は父の悪口を言い続けながら、世話を焼くことで支配している状態。要するに、父と母の力関係が逆転したんですね」

立場を変えて、共依存関係は続いていたのである。

「以前、母に斎藤先生の本をプレゼントしたことがあったんです。その時の私は、母をコントロールしたい欲求が残っていたんでしょうね。今はそういうことも止めました」

変わってほしいと願うことも、コントロールになる。私は家族関係の難しさを改めて感じた。

第 4 章

数学、音楽、性倒錯

「今日、山田さんが来てこれを置いていったのよ」

ある日、斎藤から1枚のチラシを渡された。それは、とある市民文化会館の大ホールで行われるフィルハーモニー管弦楽団のコンサートのチラシで、指揮者が患者なのだという。見ると、燕尾服姿の男性が載っており、名前の横に「指揮」と書いてある。

「ここへ来る人で、山田さんほど熱心にセックスをしようとしている人は珍しいよ。彼は自分を性倒錯だと言っているけれど、要するに性欲が強い。いつ何時でも勃起できるって自称してる。私は確かめたことはないけどね」

後日、彼をインタビューすることになった。

出版社の会議室に現れた山田たけし(仮名)は、坊主刈りが伸びたような黒髪に、銀縁メガネ。赤チェックのネルシャツをジーパンにインし、リュックを背負っていた。ファッションに興味がない人の服装だが、足が長く、堂々としているせいか、妙に存在感がある。

「最初にさいとうクリニックへ来たのは、2010年前後かな。28歳頃から通っているので、今で10年ちょっと。私は性的な変態ですね。当時付き合っていた女性が何人かいたんですけど、その中の一人から病院へ行ったほうがいいんじゃないかと言われまして。犯罪もやっていましたから」

癖なのか、頭頂部の髪をワシワシと触る仕草をしながら、臆することなくそう自己紹介した。

山田は、東京大学を卒業後、さらに音楽大学を卒業し、純粋数学の博士号と音楽演奏の修士号を取得している。変態にして秀才だった。その上、自らの性癖を隠そうともしていない。

「これまでやってきたことはと言えば、盗撮、下着窃盗、トイレ覗き。子どもの頃は、妹の体に触るということをやっていました。後は、同時並行で彼女が何人もいるというのがありまして、これも病気ではないかと言われますけれど」

山田はさいとうクリニックでも、複数の女性と肉体関係を持ったようだ。もっとも、無理やりするわけではないので、斎藤も「お互いどんどんやりなさい」というスタンスだという。

「性倒錯者は、だいたい性倒錯一本なので、私のように実生活でもちゃんと女性がいるということは珍しいらしいです。そこは、斎藤先生に感心されました」

現在は、患者の一人と結婚し、子どもが二人いる。夫婦揃って、今も斎藤のもとに通っていた。

体育会系の両親から生まれた秀才

山田は、二人兄妹の長男として、九州地方で生まれ育った。父親は、元警察官だがすぐに辞めて職を転々としており、母親は元プロバレーボール選手。両親ともに体育会系だった。

「父親はパチンコ依存で、酒は飲まないけど暴れる人でした。怒鳴るきっかけが分からないから、アル中よりも質が悪いそうです。しかも、九州男児で男尊女卑的。私が妹の体に触っていても、嫌がる妹が親に怒られていたくらい。そういう意味では、機能不全家庭ですね」

そんな暴力的な父親に対し、母親は怯えるように過ごしていたという。

「当時のＤＶ法では、手を出さなければ、口では何を言ってもいいことになっていました。父は、空手をやっていたので、空手チョップで瓦を叩き割ったり、壁を壊したりして威嚇するんですよ。すごく怖い。家に腕力を鍛えるマシンがあって、夏は上半身裸で筋肉を誇示してくるという人でした」

そのいで立ちは、パンチパーマにちょび髭にサングラス。一見すると、ヤクザのようだったという。だが、父親の怒りはもっぱら母親に向けられ、長男である山田を攻撃することはなかった。

「精神的にはネグレクトだったと思います。何をやっても、褒められることも怒られることもない。長男であれば、誰でもいいんだろうなみたいな感じ。僕は子どもの頃から成績がすごく良かったけど、褒められたことはないですね」

勉強をしろと一度も言われたことはなかったが、山田は常に勉強をしていた。体育会系の両親から、どうやって秀才が生まれるのかと思ったら、父方の祖父が東大卒だという。親族の中では、父親だけが高卒で、他は皆医者や弁護士ばかりのようだ。

勉強と変態

そんな山田は、小学校高学年頃にはバイセクシャルを自認し、性的な妄想に支配されていたという。

「当時は女子の体操服がブルマだったこともあって、女子全員がマスターベーションの対象でしたね。男子のほうには好みがあって、興奮するのはクラスで一人か二人。男子のほうが選ぶんです。逆に女子は、誰を見ても美人に見える」

小学校を卒業すると、東大に受かる生徒が多いことで有名な中高一貫の男子校に入学した。そこでも、成績はいつも学年で一番だったという。

「ずっと勉強をしていましたね。変態をやりながら勉強。当時はほとんどマスターベーションでしたけど」

すでに変態という自覚があったのだろうか。

「中高は、男子の体操服を盗んでいました。でも、私は返すんです。後は、マスターベーションの数が非常に多かった。一日5回とかですかね。体力はあり余っているんです」

こうして東大に現役合格。だが、その裏で生きづらさを抱えていたという。

「18歳の時に、東大の新入生全員に対して精神科の問診があったんですよ。簡単なテストを受けて、『生きるのが辛い』『死にたいと思う』とかに丸をつけていたら、『これは、うつ病です。精神科に行ったほうがいいですよ』と言われました。それが初めての精神科との出会い。だから基本的に、生きるのが辛いタイプなんです。僕は服を着替えたり、お風呂に入ったり、部屋の片づけをしたりするのが面倒くさいタイプなので、普通に精神科のチェックを受けると、うつ病ですってなると思います」

勉強はできても、それ以外のことができないなどということがあるのだろうか?

「だから勉強依存なんじゃないかな」

初めての彼女ができたのも18歳だった。だが、最初は一人だった彼女も、途中からだんだんと増えていったようだ。

「20歳を過ぎた頃かな。家庭教師のアルバイトで行った先の奥さんと肉体関係になりました。いわゆる既婚者との関係は、これまで結構あります」

過去には、5人の彼女を同時進行していたこともあったという。

「スケジューリングが難しいので、5人が限界ですね。一日に4人の女性としたこともあります。これが結構大変で、まず泊まって朝に一人、昼ごはん食べて一人、夕方一人と夜一人。また帰ってマスターベーション。それだけで一日が終わってしまい、勉強しないといけないのに何やってるんだという気持ちになったことがあります」

もっとも山田の場合、そのために出会い系サイトに登録したり、ナンパをしたりすることはない。あくまで自然な出会いの中で知り合った女性たちだ。それだけに、相手もまさか遊ばれているとは思わないらしい。

「こっちとしては、体だけが目当てなのに。私はちゃんとした恋愛のような口説き方しか知らないんです。だから勘違いさせてしまう。どうやったら、体だけの関係をつくれるのかが分からない」

結果、女性の怒りを誘発するような付き合い方になってしまう。それにしても、5人の女性と同時に付き合っていたら、さぞかし忙しいだろう。

「そうなんです。忙しいんですよ。本当に忙しい。その上、スケジュール管理がずさんなので、女性同士がかち合っちゃって大変なことになります」

派手な女性関係の裏で、山田はトイレ覗きもしていた。

「東大で音楽団体に入って、柔道場で稽古をしていたんです。その柔道場の汚い和式トイレに、気になる女性が入って行ったので、後をつけて覗いたのが最初ですね。20代前半の時かな」

山田は、女子トイレのドアの下の隙間から、かがんで覗いた。すぐに気づかれそうなものだが、バレなかったという。

「その女性は、私のことが好きだったみたいで、後日『付き合ってください』って言われたんです。肉体的にはかなり惹かれていたし、性欲の強い私なら付き合いそうなものなんだけど、何かね、そういうのがダメなんです、僕。相手から来られると。だから交際を断って、無断でトイレを覗いていました」

気になる女性から告白されて、断った後にトイレは覗く。一体、どういう心理なのか。

「だから、やっぱり倒錯しているんですよ。その女性とクリスマスデートで、ホテルに行こうかみたいな雰囲気になった時も、いや、やっぱり帰ろうみたいに言ってしまった。おかしいんです、やっていることが。好きな女性から来られると、拒否してしまうところがある。……何でこんなことになったのかな?」

山田も、自分自身のことがよく分かっていないようだった。

未知なるパンツ

そうした生活の中でも、勉強はしっかりしていた。教養学部での成績は、学年約３０００人のうち、10～20番。もっとも山田は、成績を上げることに興味はなく、勉強が好きなだけだという。留年を2回し、修了要件の2倍の単位を取得して教養学部を修了している。

「成績優秀なので、どの学部にも進学できたんです。日本では、偉くなろうとすると法学部じゃないですか。だから法学部に行くかも悩んだんだけれど、法学部開講の『憲法概論』とかも取って、法学部の人達がみんな単位を取れなかったのに、私は『優』（最上位）だったので、つまらなくなっちゃった」

こうして理学部数学科を選んだという。

「天才が集まるのは、数学科なんですね。自分は天才じゃないことがよく分かっていたから憧れがあるんです。頭の良い人には敵わない。ド天才みたいなのがいるので」

どうも山田は、未知なるものを覗いてみたくなるらしい。それは、下着窃盗にもつながっていた。

「下着窃盗はですね、当時、洗濯機が外に置いてあるアパートに住んでいたんです。隣の隣に、60歳は超えたようなおばあさんが住んでいて、パンツだけが必ず洗濯機に入っているんですよ。いわゆる洗う前の。それを私が借りて、返すということをずっとやっていました」

アパートの廊下を通るたびに洗濯機の蓋が開いており、覗くと必ずパンツが入っていたらしい。

「どうして、ああいうふうに下着を置いていたのかな？　たぶん、私を捕まえたかったんでしょうね」

山田は、独自の解釈をしていた。

「後は、コインランドリーで拝借。洗濯機の蓋を開けて下着を探すということを、2回か3回やりました」

コインランドリーで自分の洗濯物が乾くのを待っている間、女性が来て洗濯機を回して帰っていく。すると、山田は「よし、見てみるか」と蓋を開けるのだそうだ。

「だから好奇心ですね」

好奇心？　どうにも山田の好奇心は、性欲と勉強が交錯しているようだ。異常である自覚はなかったのだろうか？

「というより、何科へ行ったらいいか分からないですよね。精神科と言われたらそうなのかもしれないけど、変態科があったら行ったかもしれない」

むしろ山田は、変態以前に生きづらさを抱えていたという。当時は、引きこもりの症状も出ていたらしい。

「だから、うつ病ということで地元の精神科にかかったことが始まりなんです。その前に、無気力でやる気が起きないみたいなことで、大学のカウンセリングルームにも行っていた」

勉強好きの山田だが、行き詰まることもあったようだ。

変態だったらすぐ来て

山田が、初めてさいとうクリニックを訪れたのは、博士課程在籍の時だった。当時は、家庭教師のアルバイトで向かった先の奥さんと不倫関係が続いていた。

「20歳年上の奥さんと、長く付き合っていたんです。精神的には一番依存していました」

その女性に、ふとしたきっかけでこれまでの性犯罪歴を語ったところ、斎藤の著書を読んでいた彼女が、さいとうクリニックへ行くことを勧めたのだった。

「当時、斎藤先生は変態が好きだったみたい。初診の予約は数ヵ月待ちだったのに、『変態だったらすぐ来て』みたいに言われました」

これまで山田は、うつ病ということで精神科やカウンセラーのもとに通ったことはあったが、性的な犯罪行為が止められない旨を打ち明けたのは、この時が初めてだったという。

「変態であることって言えないですよ、やっぱり。それに、自分は生きづらさのほうもあったんです」

山田は、すぐに斎藤のことが気に入り、デイナイトケアに毎日通うようになった。

第10章に出てくる元引きこもりの永田は、最初に山田がミーティングでシェアした時のことを印象深く覚えていた。「山田さんはフランス語でシェアしたんですよ！」と、興奮気味に教えてくれたことがある。

「いやいや、そんなにうまくないですよ」

山田は謙遜するが、語学は、英語、ドイツ語、フランス語、イタリア語、古典ギリシャ語、古典ラテン語を学んでおり、英独仏伊であれば、辞書がなくても日常会話には困らない程度に話せるという。

「私は、何か病気があって治さないといけないと考えたことはないんです。さいとうクリニックには楽しいから通っていた。ミーティングで自分の話もできるし、人の話も聞けるので」

ミーティングには、男性クローズドや女性クローズドもあり、同性の前でなら話せるという内容は、そこでシェアされていたらしい。

「でも、そこで話したことも結局、斎藤先生にみんなの前でばらされちゃうんですけどね。秘密の話として言ったはずなのに。私も、変態であることを隠して最初はかっこつけようと思って行ったのに、初めから『彼は新しく来た変態の人だから』みたいに紹介されちゃった」

山田の性行動に対し、斎藤は特に問題視をしていないようだ。

「性の問題って難しくて、彼女が何人いたら問題なのかというと分からないんですけどね。斎藤先生もあんまり病名で言わない。でも、初診からすぐの頃に、実母が一緒に来たことがあったんですけど、その時先生は、母にだけ『あなたの息子さんが何の病気か分かりますか？　セックス依存症です』とは言ったみたいです」

もっとも斎藤は、それを治そうとはしていない。

「性的な感受性の幅が広いのかなとは思うんですけど、斎藤先生も、『それはあなたの個性だから』と言ってくれるんですよ」

男女のもつれ

こうして、さいとうクリニックに通いながら、数学の博士号を取得した山田は、次に音大に入学した。

「音楽はずっと習っていて、高校生の時に県のピアノコンクールで一番になっています。それで、30歳で音大に入ったんです」

多方面に才能があるとは、驚きである。

「非常に勤勉だと思いますよ、僕は。本当に勉強しているので」

勉強に励む一方、性欲も相変わらずだった。音大に入学すると、山田はすぐに彼女をつくっている。

「僕は音楽家を目指していたから、朝から晩までピアノの練習をしていたんです。35歳が年齢制限のところが多いので、コンクールを受けまくった。こう言ったら失礼だけど、音大で年下の彼女をつくってみようと決めて、入学してすぐに彼女をつくったんです。一応、大学の中では、その人だけと付き合っているというふうにして、ピアノの練習をずっとしていました」

性行為は、もっぱら防音設備のあるピアノの練習室だった。普通のデートはほとんどなかったが、山田の見た目が真面目そうに見えるからか、相手の女性は本気だったようだ。

「僕の口説き方が悪いと思うんですけど、それなりに深い仲にはなって、『結婚する気があるんですか?』みたいな感じになるんです。ひどいですよね、ひどいことしてると思います」

どうにも、女性を傷つける付き合い方しかできないらしい。

先述したように、山田の妻は、さいとうクリニックの患者だ。やはり最初は性欲で始まったようである。

「ミーティングで彼女の話も聞いていたので、実父から性虐待を受けた人ってどんな感じなんだろうって、性的な興味がなかったと言えば嘘になりますね」

山田は、この時もまだ、家庭教師先の奥さんと不倫関係を続けていた。

「そしたらダブルブッキングによる痴話喧嘩が起きてしまった。それで、今の妻が僕に執着してしまったんじゃないですかね」

結果、三角関係でおおいに揉めることになる。

ある日の面接で、山田は、家庭教師先の奥さんと、後に妻となる女性に挟まれ、斎藤の前に座ることになった。この席で、双方から問い詰められたのだ。山田は真ん中で小さくなっていた。

「あれは、しんどかったですねぇ。本当に。『しんどいんですけど、死んだらいいんでしょうか?』と言ったら、先生から『死ね、お前』って言われました。ハハハ」

トラブルは続くもので、初めて盗撮で逮捕されたのもこの頃だった。

「音大の終わり頃ですね。僕、何でも出口がダメで、卒業が見えてくるとしんどくなってくるんです。本当は『一生、学生でいたい病』だと思うんです。その上、男女のもつれもあったから、この頃はよく酩酊状態で女性のお尻を後ろから撮るということを強迫的にやっていたんです。ほとんど酔っぱらっていたので、あんまり覚えていないんですけど」

ある日、泥酔状態で電車に乗っていると、怪しんだ女子高校生が山田の顔をチラチラと見てきた。だが、この時点で、山田は何もしていない。それでも何かを察したのか、女子高校生は逃げていった。

「僕は何もやっていないのに。だから、怒りですよね。その逃げているところを追いかけて、後ろから撮ったんです。そしたら『今、私のこと撮ったでしょ』って腕をつかまれて、『まぁ、撮ったねぇ』って感じで、警察が来て捕まりました」

警察官はてっきり、性的盗撮だと思ったらしい。だが、山田が撮ったのは、逃げていく女子高校生の背中だった。これまでも、お尻の盗撮はしていたが、山田はいつも撮ったらすぐに消していたのだ。

「だから、携帯の中に残っていた画像は、直前に撮ったパンツスーツの女性のお尻の写真だけだった。それが1枚残っていたので、送検されたんだと思います。そっちのほうが性的だということで」

結局、初犯のため不起訴となった。

マスターベーション禁止

三角関係は、さいとうクリニックで出会った女性との間に子どもができたため、結婚することで終止符が打たれた。約15年間不倫関係にあった家庭教師先の奥さんとは別れることになったのである。

「本当は僕、独身のままでいろんな女性と付き合うことを続けたかったんです」

山田はそう言うが、何と結婚を機に、この家庭教師先の奥さんの他、肉体関係のあった3人の女性全員と縁を切ったという。

「一応、マスターベーションも止めています」

どういうことなのか。

「性に問題のある人が集まる、『A』と『B』という自助グループがあるんです。性に囚われないほうが生きやすいのではないかと思って参加しています」

何でも、「A」がもっとも厳しく、性に関する行為はマスターベーションを含めてすべて禁止。「B」は、どこまでするかは自分で決めましょうというスタンスだという。ちなみに、斎藤とは関係のない自助グループだ。

「私は、この『A』に参加するようになって長いので、マスターベーション自体を2~3年止めています。何度かスリップはしていますけど」

スリップとは、依存症治療における再発という意味だ。アルコール依存の場合、再び飲酒することを「スリップした」と言うが、射精の場合も使うらしい。

山田はさらに、妻の指示で、さいとうクリニックと併用する形で、某Cクリニックという別の性依存専門のデイナイトケアにも通っていた。

「妻は『治せ』と言うんですね。僕も、そう言われて素直に通っちゃうんですよ。サボればいいんだけど、割と従順なタイプなので」

Cクリニックは、さいとうクリニックとはまるで趣旨が違うようだ。

「一度、『電車の中で女性の顔写真を撮っちゃった』って話をしたら、スタッフから別室に呼ばれて『ダメですよ、やったら。すぐに消してください』と言われて、『うるせー、お前！』とか言って喧嘩になりました。ここでは本当のことを言っちゃいけないんだと思って、それ以来、本当のことは言わなくなりました。みんな、そうらしいです。Cクリニックは、本当に大っ嫌い！」

それでも、週1ペースで通っているという。

「斎藤先生は肯定してくれるというのが大きいですよね。普通、変態だって言ったら、変えないといけないとか、回復しないといけないとか、止めないといけないと言ってくると思うんだけど、斎藤先生は私を否定しないでいてくれる」

結婚後、女性関係を切り、マスターベーションも止めた山田だが、女性の顔を盗撮するということは続けていた。だが、それも妻の指示で、カメラの付いていないガラケーを持たされるようになり、物理的にできない状態になってしまった。最後に残されたのは「露出」である。

「いわゆるハッテン場になっている男子トイレで、男性相手に性器を誇示することはあります。

公共の場なので、多少問題はある気もしますけど、今の自分にはそれは多少許しています。妻に言ったら怒られますけど」

山田の中で、それだけは犯罪にカウントされていなかったようだ。

「今は何の犯罪行為もできないし、何もないですね。でも、それを回復と言っていいのかは分からないです」

だが、こうも言う。

「今はもう別に、生きづらさもあんまりないんです。貧乏でもいいなら、これでいいかなって」

大学院を含め、トータル18年間大学生をしていた山田には、奨学金の返済が約1400万円残っている。現在は、オペラの副指揮と、大学で数学の非常勤講師と、夜間警備員のアルバイトをしているが、実入りは少ないようだ。

「なぜ夜間警備員を選んだかと言うと、モニターを見ているフリして本が読めるからなんです。最近はオペラの台本を覚えないといけないので、楽譜を広げています」

相変わらず、日々勉強のような毎日を送っていた。その上、子ども二人を育てているので、生活は苦しいようだ。

「とにかく金を儲けろと、斎藤先生からは言われています。『あなたが変態よりも問題なのは、引きこもりだ』と。基本的には社会と関わることが怖いんだと思うんです。だから、オペラなどの仕事も、自分からは売込みに行かない。向こうから来たものを受けるだけ」

仕事はしていても、心理的には引きこもりということか。確かに、山田の話を聞いていると、たくさんの女性と関係があるものの、どこか自己完結しているように見える。

「斎藤先生にも言われました。私は雄弁なようでいて何も語っていない。やっぱり、閉じこもり系なんです。一所懸命コミュニケーションを取ろうとしているけど、あんまり取れていないです」

誠実な男

では、そんな山田を、斎藤はどう見ているのだろう。斎藤はこうとらえる。

「彼の性的多重性というのかな、同性愛系のことを言いたがるでしょ。あれも私は、怪しいと思ってるんだよ」

何と、性的嗜好そのものを疑っているようだ。

「変態みたいなことを言いたがる人。才能をただ持て余している人だよ。性倒錯と言うけど、結論から言えば、そんなに大したことはやっていない。意外と小心者で、自分の居場所を探しあぐねているんじゃない？　彼は、家庭教師先の奥さんとの愛情関係に悩んでいたし、人間関係に不器用な人に過ぎないんだよ。そこを救ったのが今の奥さん」

そう言われると、だいぶ見え方が変わってくる。

「あんなに誠実な男はいないよ。彼も、まともに稼げる父や夫をやらないといけないみたいなことを考え始めているみたいだし、だんだんつまらなくなっていくんじゃないかな。今はまだ一所懸命頑張って、変態にとどまろうとしているけどね」

山田から変態を取ったら、つまらない男になるということか。実際、山田は子育てにも熱心なようだった。

「写真が撮れない携帯なので、添付ファイルですけど」

インタビュー中も、誇らし気に子ども二人の写真を見せてくれた。

「朝、この子たちのご飯をつくってあげて、保育園に連れて行って、自分は仕事に行って、帰って迎えに行ってみたいな感じ。寝かしつけるのも僕一人なので、ほとんどワンオペですよ。妻は障害年金をもらっているから無職で、寝転がってスマホを見たりしています。日本は効率主義だけど、人は生きているだけでいい。妻は何もしないけど、それもありかと思っています」

インタビュー開始からジャスト2時間になると、山田は「そんな感じで、全然とりとめのない話でしたが」と言って話を終えた。時計を見た私は、完璧なジャストタイムに驚いてしまった。

「時間を見ながら喋ることは、職業柄慣れていますので」

山田はこれからオペラの稽古があるようで、忙しそうに去って行った。

第５章

斎藤学とは何者か？

慶應義塾大学医学部を卒業し、同大学の精神神経科学教室で精神分析のトレーニングを受けた斎藤の精神科医としてのキャリアは1968年、旧国立療養所久里浜病院（現・国立病院機構久里浜医療センター）に赴任したところから始まる。その5年前、同病院には、日本で唯一のアルコール症センターが誕生していた。斎藤はこの病棟でアルコホリックの治療に携わるようになる。そして、これが最初の依存症者との出会いだった。もっとも、当時は「アルコール中毒」と呼ばれ、社会からのはみだしものというイメージが強かった。これを最初に「依存症」と定義したのは斎藤だ。当時、「アルコール中毒ではなく、アルコール依存症と呼びましょう」と訴えると、精神神経科学教室のみんなからゲラゲラ大笑いされたというエピソードがある。よほど理解しがたいことだったのだろう。

その頃、アメリカでは、アルコール依存症の回復に向けて「AA」（アルコホーリクス・アノニマス）と呼ばれる自助グループが盛り上がりを見せていた。斎藤は、これを真っ先に院内で取り入れ、当事者同士で語り合うミーティングの場をつくった。ただ、自助グループであれば「言いっぱなし聞きっぱなし」のルールだが、斎藤は自分の助言を加えていたようだ。以降、グループ・ミーティングというスタイルは、斎藤の治療のベースとなっていく。

「共依存」という言葉を日本に広めたのも斎藤だった。夫の飲酒問題を陰で支えている妻を見て、妻のほうこそ病気だと感じた斎藤は、アメリカで使われ始めた「コ・ディペンデンシー」という言葉を「共依存症」と和訳して持ち込んだのである。そして、患者の人生に長く付き合うち、アルコール依存症の家庭に育つ子どもの問題にも接するようになった。

気がつけば斎藤のいるアルコール病棟の外来には、薬物乱用者、摂食障害者、窃盗癖、ギャンブル依存、性倒錯者など、他の医師が対応に困った患者たちが回されてくるようになった。今ではどれも依存症のカテゴリーに入るが、そのことに気がついたのも斎藤である。

こうした臨床の中で、「依存症は個人の病気というよりも、家族の中を走る病気」と理解するようになり、「家族」に目を向けるようになるのだった。

ジャック・ラカンの講義

1971年、斎藤はフランス政府給費留学生として2年間渡仏。パリのサン・タンヌ病院で、ピエール・ピショー教授の研究室に身を置いた。ピショー教授の専門は精神薬理学で、フランスで開発されたクロミプラミン塩酸塩（商品名：アナフラニール）の創薬者の一人でもあった。

当時の斎藤は医師になって4年目に過ぎなかったが、早くフランスへ行きたくて精神薬理学研究室に潜り込んだのだ。しかし、実際の斎藤の体は、廊下を挟んで対面にある、小此木（おこのぎ）啓吾氏がリーダーを務める精神分析学研究室にいることが多かった。さらに、サン・タンヌ病院の講堂で火曜日に行われていたジャック・ラカンの講義にも出続けていた。

当時のラカンについて、斎藤はこう振り返る。

「何を言ってるのかさっぱり分からなかった。同じ講義を聞いていた若いフランス人のアンテルヌ（インターン）たちに『あの老人は何と言ってたの？』と訊いても、『分かんないよ』と訊くたびに言われるんだよ」

この時、ラカンは70代。5〜6人の側近らしき人物らとともに、講堂の演壇に登って講義をしていた。しかし、マイクを使わずにボソボソ声で話すため、演壇の下にいるたくさんの聴講者には聞き取ることもできなかったという。

「あの時のラカンは、講堂を埋めた白衣の若者たちに向けて何かを伝えようという気配がまったくなかった。沈黙の中に長時間潜り込んだり、演壇の上に登ることを許された側近と見られる人々に何かをささやくそぶりをしたりしているだけに見えたね」

サン・タンヌにいた少なからぬ若者たちにとって、ラカンは当時から「神」だった。しかし、それは隠れキリシタンのようなもので、ロッカールームのドアを開けると、その裏に「ラカン万歳」と書いてあるといった具合だ。ピショー教授があからさまにラカンを嫌っていたからだという。

こうして斎藤は、薬理学研究室に身を置くふりをして、精神分析を学んで帰ってきたのだった。

家族の「異臭」

1983年、斎藤は東京都精神医学総合研究所・社会病理研究室の研究員となる。地域医療にも関わるようになり、週1回、世田谷保健所で酒害相談のミーティングを始めた。これはたちまち人で溢れかえったという。

「参加者はみんなご近所さんで、夫の飲酒に悩む主婦。用意した会場がすぐいっぱいになるほど人が集まった。仕方がないので、80~90人が入れる市役所の講堂を借りたこともあったくらい。とてもじゃないけど手を挙げて喋ってもらうなんてできないから、全員にバーッと一言ずつ喋ってもらうんですよ。話す内容も決まっていて、前回会ってから、この1週間に何があったかということを一言だけ。そうじゃないととても回せない」

現在のさいとうミーティングのスタイルは、ここから始まったようだ。

斎藤は、次々とやってくる相談者に、問題が解決するまで通うように言った。斎藤が助言を入れることで参加者の意識に変化が起こり、あっという間に解決することもあったという。次第にこの酒害相談ミーティングには、さまざまな相談が持ち込まれるようになった。

「子どもの不登校に悩むお母さんとか、自分が子どもを叩いてしまうというお母さんとか、夫の義母さんを殴り倒してしまうことが止められないお嫁さんまで、いろんな家庭内の問題を持った人が、ワッと集まった。例えるなら『異臭』という感じだったね」

世田谷区という地域性もあってか、庭付き一軒家で暮らす裕福な家庭も多かった。奇しくも斎藤は、久里浜病院時代にも、ドヤ街のアル中ではなく、ホワイトカラーのアル中を診ていた。〝健全な家族〟に潜む病理に焦点を当てるようになったのは必然だったのかもしれない。

酒害ミーティングの終了後には、地域で働く保健師とのディスカッションもミーティングという形で行われた。やはりこれも大盛況で、しまいには市役所の生活保護担当者も混ざるようになったという。

「そこで何が語られたかというと、自分が訪ねて行った家庭の状況についての報告ですよ。都内中の保健師さんたちが、いろんなケースを持って来たんです」

このミーティングで明るみに出たのが、児童虐待の問題だった。親の暴力を受けていた子どもを保護できず、次に訪問したら葬式だったということもあったからだ。当時は「児童虐待」という言葉こそあったが、何も対策がされていなかったという。

「どういう取り扱いがされているのかと思って、最初は児童相談所へ問い合わせたと思うんだけど、『ここは親と子を仲良くさせる場所で、虐待なんか取り扱っていません』って言われたの。変だなあと思ったね。じゃあ警察かなと思ったら、警察は児童虐待のような家庭内の問題には介入しないと言う。結局はエアポケットみたいに放置されていたの。それに気がついて本当にビックリした」

その後、斎藤は奔走した。東京都の研究所で児童虐待の研究会をつくり、そこを母体として、1991年には「子どもの虐待防止センター」と、ホットライン「子どもの虐待110番」をスタートさせたのである。

「初めに児童虐待の対策が行われたのも世田谷区。酒害相談から始まったの」

同時に取り組んだのがDV問題だった。アルコール依存症の夫が酔って暴れるため、酒害相談はまさにDV相談でもあったからだ。もちろん、この頃はまだDVという言葉もない時代である。

「DVの問題は日本ではなかなか火が点かなかった。何度そうしたケースを持って行っても、マスコミが記事にしてくれない。児童虐待にしてもDVにしても、家族という聖域の中の話でしょ。当人たちの自覚もないし、結局は放置ですよね」

その後、斎藤とその周囲によるロビー活動が功を奏し、2000年に「児童虐待の防止等に関する法律」(通称：児童虐待防止法)、2001年に「配偶者からの暴力の防止及び被害者の保護等に関する法律」（通称：ＤＶ防止法）が立て続けに施行された。だが、斎藤はそれよりもずっと前から、その問題について叫び続けていたのだ。

都の研究所にいる間に、斎藤は次々と任意団体を立ち上げている。当事者たちの集まる「居場所」が必要だと考えたからだ。

１９８６年には、「ＡＫＫ」（アディクション問題を考える会）、１９９３年には被虐待女性のための「ＡＫＫシェルター」を開設。１９８７年には、摂食障害者のための「ＮＡＢＡ」（日本アノレキシア・ブリミア協会）、１９９２年には、家庭内でトラウマを負った人々の集まる「ＪＡＣＡ」（日本アダルト・チルドレン協会）をつくった（ＡＫＫシェルターとＪＡＣＡは活動終了）。

「面白いことやりなさいよ」

そんな斎藤の周りには、いつもおおぜいの人が集まっていた。その様子を見て、ある人物が近づいてきた。

「生命保険のおばちゃんで、元アル中の奥さん。その人が私を知っていて、開業するよう強く私に語りかけてきたの。わざわざ研究所まで訪ねてきたから『保険は入っているからいいよ』って言ったら、『いえいえそういう話じゃありません。先生にはそういうことは期待していませんから』とか言われちゃって。『だけど先生、こんなことやっていても面白くないんじゃないですか？　どうせなら最後に面白いことやりなさいよ』と言われてね」

その保険外交員を通して、ある企業の社長が2億円の資金を出すと言ってきた。さらに、彼女は「ビルを見に行きませんか」と言う。ビルの所有者は、ある企業の会長で、獄中に入っていた。港区には彼の所有する同じ様式のビルがいくつもあり、後に斎藤が借りることになったAビルは、借主がいないまま10年以上も放置されていたのだ。保険外交員は、そこでデイナイトケアをやるよう、斎藤に強く勧めたのである。

「『先生が好きにおやりになれるよう用意しました』とか言われて、まるっきり信じちゃったのよ。金を出すというから、てっきりもらえるのかと思ったら、そうじゃなくて私が借金するのに保証人になってくれるという。銀行から借りるのは大変らしいね」

こうして、流されるままに進んでいき、開業したらしい。私は、意外な成り立ちに驚いてしまった。精神科としては珍しい麻布十番という土地を選んだのも、斎藤のこだわりではなかったのだ。

「私は世田谷区にこだわっていたんだけどね。ただ、たまたま出身校も麻布だし、何か縁があるのかなとは思ったね」

むしろ、斎藤がこだわったのは研究所をつくることだった。〝家庭内暴力の犠牲者〟という問題を、世の中に発信していくためには説得力が必要だと考えたからだ。こうしてできたのが家族機能研究所と、付属の精神科診療所さいとうクリニックだったのである。1995年、斎藤が54歳の時だった。

「9月1日って覚えているんだけど、オープンの時にね、麻布の街に患者の大群が現れたら住民に迷惑をかけるでしょ。『出て行け！』って言われるんじゃないかと思って、整理券をつくったんだよ。1番から200番くらいまで」

しかし、蓋を開けてみると、初日にやってきた患者は、何と一人。

「しかも全然知らない人。朝日新聞が私の開業を小さな記事にしてくれたらしく、それを読んだという未知の人が一人来ただけ」

これにはスタッフも呆れ、「このクリニックは本当にやっていけるのかしら」と心配されたという。だが、半年が過ぎる頃には、エレベーターがギュウギュウ詰めになるほど患者が集まってきた。

「ユニークなクリニックとして、マスコミが取り上げてくれたというのがあるんですよ。それに私の本を読んだ人とかね」

開業翌年の1996年、斎藤は著書『アダルト・チルドレンと家族』を出版した。これが大ヒットし、世の中にアダルト・チルドレンブームが巻き起こる。斎藤は、一躍有名精神科医としてメディアに登場するようになった。

筆者である私は、この頃の斎藤を知らない。リアルタイムでテレビに映る姿を一度も見たことがない。いつの頃からか、斎藤はあまりメディアには顔を出さなくなったらしいのだ。

ある患者は、その理由をこう語る。

「テレビに毎日出ていた某芸能人から『先生あんまりテレビに出ないほうがいいですよ。テレビでは発言が切り取られますから』と言われたみたい。それが原因かは知らないけど」

また、別の患者はこう話す。

「斎藤先生は自分の主張を曲げないから、番組の趣旨と逆のことを言って、使いづらいと思われたみたい」

テレビに出なくなると、来院する患者の数も減ったようだ。だが、患者の数が多かろうと少なかろうと、斎藤のやっていることは常に一貫していた。今も昔も、ひたすらミーティングである。

2019年、78歳になった斎藤は、デイナイトケアを閉め、2022年にはさいとうクリニックを閉院した。現在行っているのは、心理カウンセリングとミーティングのみだ。投薬は行わず、言葉だけの治療である。「本当はもっと早くこれをやりたかった」と斎藤は言う。そして、医療ではなくなった今、自分の治療に向かない相手は容赦なく「患者としてクビにする」と言う。

患者の一人は、その意味についてこう語る。

「言葉のメスを入れられるから、受けるほうにも力がいる。斎藤先生のおっしゃっていることが分からないという人ではやっぱりダメだよね」

患者の側にも、自分と向き合う覚悟と、理解する知性が必要ということだ。

第6章

描けない画家

2011年の年末、和田佳子(かこ)の体は、いよいよ動かなくなっていた。身長164㎝に対し、体重は27㎏。痩せ過ぎて、骨が浮き出ている。だが、当人に重症である自覚はない。その頃、勤めて4年になる会社にはフルで出勤し、自らの希望で毎日のように残業し、土日出勤もこなしていた。睡眠時間は約3時間で、起きている間は常に動き回っていた。ただ帰宅すると、深夜まで過食して嘔吐を繰り返す。

その痩せた姿は、勤め先でも異様に映っていたらしい。

「お前、今日病院に行かなかったら、明日から出勤するな」

その日、これまで何も言わなかった上司が、意を決したようにそう告げた。おそらく、腫れ物に触るような扱いだったのだろう。半ば強制的に病院へ行かされると、診察した医師は、その体を見て慌て、血液検査の結果に仰天した。

「今、死んでもおかしくないので救急搬送します」

すぐにICU(集中治療室)へ連れて行かれ、そのまま入院となったのである。

壮絶な出来事に感じるが、彼女は当時を振り返り、平然とこう語る。

「でも、自分では元気だと思っていたんですよねぇ」

和田佳子は現在、子ども向けの絵画教室を開きながら、油絵画家として活動している。茶髪のショートカットが印象的で、よく笑う明るい女性だ。周りから佳子と呼ばれているので、ここでも佳子と書こう。

家族機能研究所には、部屋や廊下や待合室など、あらゆる場所に絵画作品が飾ってある。その半分が、彼女の描いた作品だ。作者はもう一人いて、二人とも斎藤の患者である。

特に佳子の作品は、大きなキャンバスにダイナミックに描かれたものが多く、体力もかなり使いそうだ。今でも充分に細い体で、どこからそのパワーが出てくるのか不思議なほどだ。

食べ吐きのバケモノ

佳子が過食嘔吐を始めたのは、浪人中の19歳の時だった。その理由を佳子はこう語る。

「女性であることが煩わしかった。子どもの頃から、男子は許されて、女子は抑えることを説かれることにずっと不満を感じていたんです。数え切れないほど電車で痴漢被害に遭ったし、周囲の男性から勝手に語られる容姿への評価とか。女性であるために不用意に傷つけられることへの怒りが、私のキャパを超えたんだと思う」

20歳を迎える頃には、痩せ過ぎにより生理が止まったが、「女性ではない」という意識は、逆に気持ちを楽にさせたという。

その後、3浪して東京芸術大学へ入学するも、過食嘔吐はひどくなる一方だった。1回の食事量は、3～4人前。吐くというゴールを目指して、胃の中に食べ物をギュウギュウに詰め込む。その反動で一気に吐き、胃を空っぽにしたら、また食べて吐く。その繰り返しだ。当初は、実家のマンションで吐いていたが、嘔吐し過ぎるあまり、ネズミが大量発生する事態にまで陥ったという。

「下水道に栄養ロードができちゃったんでしょうね。家中をネズミが駆け回るようになって、それはもう恐ろしい状態。最後にはネズミが便器の穴から出てこようとする場面に遭遇した。私は恐怖で固まるわ、ネズミはネズミで太り過ぎて穴から出られず必死にもがいているわで。親にも止めるように言われたし、私自身余りに恐怖で、家では吐かなくなったんです。その後は、もっぱら外食。一軒の店で大量に食べると異常に思われるから、何軒かハシゴして食べて吐くみたいな。それだけで体力が消耗しちゃう」

それでも大学へは通い、ギリギリの状態で何とか絵を描いていた。最初にさいとうクリニックを訪れたのは、在学中の1998年、24歳の時だった。見かねた親から、治すことも考えてみないかと言われたからだ。だが、治療に積極的だったわけではないらしい。デイナイトケアには通わず、月1回の診察だけで済ませていたという。

「クリニックで知り合いをつくりたくないというか、他の患者と挨拶をする仲にすらなりたくないと思っていたのね」

当時は、さいとうクリニックの最盛期だ。ビル一棟を使ったデイナイトケアには、どの階にも人がひしめき合っていた。大人数の中へ入っていくことにも抵抗があったが、理由はそれだけではなかった。

「面接の待ち時間が異常に長かったので、待っている間にも食べることが我慢できなくて、外にフラフラ出て行って、食べたり、吐いたりをずーっと繰り返していた。そういう姿を、知っている人に見られるというのは一番キツイ。ってことは、知り合いをここにつくったら危険よね、っていうのがあったの。過食嘔吐をしている時って、怪獣とかバケモノにでもなっているような気分だから。決して、『食べている』という状態ではないっていう自覚がある」

吐くために食べる、もはや目的の逆転した食事だ。摂食障害の人は、喉に指を突っ込んで吐くケースが多いが、佳子は熟練のなせる技で、腹圧だけで吐いていた。曰く、過食嘔吐に使う体力は「アスリート並み」で、当時は腹圧により腹筋が割れていたというから驚きだ。

さいとうクリニックへは8年ほど通うものの、回復の見通しも立たないまま、佳子は当時交際していた男性の地元へ移り住むことになった。それを機に、通院を止めてしまう。結局、その男性とは別れて東京へ戻ってくるのだが、治療を再開することはなかった。こうして過食嘔吐を続けながら、仕事で時間を埋める日々が約6年間続き、冒頭の日がやってくるのである。

ＩＣＵに入った佳子は、容態が落ち着くと、病院側から精神科への転科を勧められた。だが、佳子はすぐにでも退院したかった。

「その4年くらい前に父親の経営していた会社が倒産して、実家が経済的に危機に瀕していたの。だから、ただただ入院費が気になった。入院を続けるのが嫌で『私、行っている病院あります』って、通ってもいないのに言ったんですよ。『じゃあ、絶対にそこへ行くことを条件に』って、退院させてもらった」

こうして、再びさいとうクリニックを訪れたのは、２０１２年前半。約6年ぶりに診察室へ入ると、斎藤はその顔を見て開口一番こう言ったという。

「あ、生きてたんだ?」

それを聞いて、佳子は驚いた。

「先生、覚えてるの?」

「覚えてるよ」

ブランクの期間は、一度も連絡していない。他の患者に比べ、熱心に通っていたわけでもない。それでも斎藤は、覚えていた。

「あれはすごく大事な一言だったかな」

佳子は、そう振り返る。

「どうしたいの？」

その後、斎藤のもとでどんな治療が行われたのか。

「……雑談？」

そう言われても、雑談だけで回復するとは思えない。

「先生は、あんまり症状の話に興味を持たないの。私も楽しい話をしたいなって思ったから。先生は食べ吐きを『止めろ』とは言わないし、やりたいならやっていればいいじゃないって話だし」

佳子は、大学の卒業制作で絵を描いて以降、一切絵が描けなくなっていた。斎藤は症状を止めさせるのではなく、むしろ絵を描くことを熱心に勧めたようだ。

「描けばいいじゃないっていうのは、さんざん言われていたかなぁ。それに、『早く描かないと、私はもう年だから知らないよ』と言われたこともあった。ただ、先生に『描け』って言われたというよりは『どうしたいの？』って聞かれた時に、私が『絵を描いて生活したい』って言ったたから、先生は勧めたんだと思う。先生は患者に青写真を描かせようと、必ず『どうしたいの？』って聞くのね。先生が勝手につくる未来じゃなくて、本人の願望に従ってそうなるように勧める」

「青写真を描く」とは、斎藤の治療の典型的なものだ。「5年後に杭を打つ」や「旗を立てる」などとも言われる。これについて斎藤は、ある日のインタビューでこう解説した。

「治療における『時間』っていうのは、ちょっと未来と過去がひっくり返っていたりするのよ。現在という『未来』から、過去の『今』を見るみたいな。そういうふうに考えてみようよって提案するのね。だいたいここに来ている人たちは、みんなスタックしてるっていうかさ。空回りしちゃって車が動かないみたいになって、それで来るわけでしょ。だから、時間軸を変えて、5年後でも半年後でも何でもいい。『その時にどんな自分になっていたいのか？』ということを空想させる。そこから、じゃあ今は何をしたらいいかっていうふうに話を持って行ったほうが動きやすい。とにかく動かさないと」

その結果、団九郎は痴漢カウンセラーになり、梶原は結婚した。佳子の場合は、それが絵を描くことだったということだ。だが、佳子にとってそのハードルは高かったという。

「描いた作品に対して、自分自身がものすごく批判をする。それがもう恐ろしくて。別に他人からは何も言われないし、それどころか大学では割と評価されたりもしていたんですよ。周りの目ではなく、自分の目が怖い。どこから見ても完璧だって褒められ方をしたいという自分の声に負けて、苦しくて何も描けなくなっていたんです。人の作品も痛くて見られないし、アートなんて言葉を目にしたくもない。何で世の中はこんなにアート、アートって！　と思って必死で逃げていた。でもね、気づかれないようにアートやアーティストを扱った番組を録ったり、記事を切り抜いて一人でコソコソ見ていたりしたの」

そんな佳子を、斎藤はみんなの前でよく冷やかしていたという。

「ミーティングのたびに、『今日もその辺にいるでしょ、描けない画家が』って、いちいちそうやっていじられる。こっちも内心分かっているんですよ。わざと言ってるなって。しょっちゅう言われてムカついたのが『眼高手低って言うんだよ、それ』っていう言葉。見る目は肥えているけど、実際の自分の手の技量は低いという意味ですね。コノヤロって思うんだけど、怒ったりするのって自然とエネルギーになるじゃないですか。それを溜めさせられて、そのうち、やる気にさせられる」

デイナイトケアに通い、ミーティングに参加し、患者同士の交流も増えていくと、気づけば、描けない理由はどこにもなくなっていた。

「そこがすごく安心できる居場所になっちゃった。こんなに優しい人たちに包まれて、やらない手はないというか、今がチャンスだよなって。頑張って結果が出なかったとしても、ここにいる人たちは褒めてくれる。そしたら、いつまでも逃げている理由がなくなってしまったんです」

ある時、デイナイトケアで行われる演劇のワークショップで、発表会用のポスターに使う原画を頼まれ、佳子は約15年ぶりに筆を執ることになった。それで勢いづき、デイナイトケアの建物内で展覧会を2回行った。さらに、斎藤の提案で、絵を描いているもう一人の女性患者と二人で、展覧会を行うことになる。それもミーティングでみんなの前で提案されたものだから、断れない流れになったという。この二人展は、現在も日比谷のギャラリーで毎年1回のペースで続いており、2023年で7回目を迎えたところだ。そのすべてで、斎藤は二人の作品を購入している。

「でも、作品に対しては、先生は別にコメントもしないの。去年買ってくれたのは、お祈りしている手を描いた作品で、その時は『一目見て、心を奪われちゃったんだよね』みたいなことは言ってくれたけど、普段はそんなことなかなか言ってくれない。展覧会に来て、『じゃあ、これとっておいて』っていう感じで。一人だけ買うと角が立つからねって、必ず二人から1点ずつ。へへへ」

こうして購入された作品は、私が取材をしている間にもみるみる増えて、部屋の書棚をふさぐほどになっていた。

アーティストの墓場

ちなみに、斎藤はこの二人だけでなく、多くの患者の創作活動を応援しているようだ。過去には、斎藤が代表を務めていた会社ＩＦＦから、患者のつくった曲『いとしのエリーが分からない』を含む、謎のＣＤアルバムまで出している。そもそも、患者の中には、アーティスト活動をしている人がやたらと多い。これは、私が取材を始めて驚いたことの一つでもあった。

佳子は言う。

「まぁ、いろんな技持ちが多いと思います。楽器をやっている人も、絵を描いている人も多い。やっぱり、そういう人が患者として残るのかもしれないです。斎藤先生も、よくミーティングの時に言っていました。『ここは、アーティストの墓場だな』って。仮死状態で来るみたいな。ハッハ！」

こうしたことは特に知られているわけではなく、まして本に書いているわけでもない。にもかかわらずアーティスト気質の患者が多く集まるのは、きっと斎藤が引き寄せているからなのだろう。というのも斎藤自身、画家を目指していた過去があるからだ。斎藤の父・右京は、戦前より商業デザイナーをしており、斎藤は子どもの頃から画家になるよう期待されて育った。年の離れた姉二人は美大を卒業しており、斎藤は東京芸術大学を目指してデッサン教室にも通っていた。そうしたなか、斎藤は画家に挫折して医者になった、というのもおかしな話だが、進路を変えて医学部に入学したのである。

佳子は続ける。

「展覧会に来た時に、『そりゃ、私だって悔しいんだよ』みたいなことを言ったことがあった。たぶん、先生はそういう気持ちが随所にあって、だからこそ当事者的な視線を感じるというか、先生も病人だよねって思わせてくれるところがあるというか。だから絵が描けない罪悪感についても分かってくれる。その世界で成功できなかった気持ちとかも」

そもそも筆者である私自身が写真家であり、斎藤の影響を受けた一人だ。斎藤がものを見る視点は、どこか芸術とつながるところがあるように感じる。もっと言えば、患者そのものが斎藤の作品であるという印象すら受ける。ひょっとすると斎藤は、患者を芸術作品として見ているのではないだろうか。

ある日のインタビューでそう聞くと、斎藤はこう答えた。

「ええ、まったくそう。すごく面白いなぁって、一つひとつ作品を見るみたいにね。石が好きな人だって、ジッとこうやって見るでしょ。ああいう感じがありますね。あんまり言っちゃうと失礼だけどね。フフ」

今、斎藤がつくり上げたかのように、佳子は画家としての道を進んでいる。団九郎のケースとまったく一緒だ。ということは、佳子も斎藤から何かを埋め込まれたのだろうか。

「ああ、そうね」

あまりにもあっさり答えるので、もう少し深く聞いてみると、佳子は考えながらこう言った。

「診察室を出るたびに、何となく積み重なっていく感じ」

もしかすると、ここではそれが当たり前過ぎて、いちいち考えるほどのことですらないのかもしれない。

こうして、スタックしていた患者のうち、誰か一人でも前に進み出すと、それはミーティングですかさず話題にされる。佳子は言う。

「たぶん、わざと沸かせているのもありますよね。聞いている側は、『あいつができたなら私もできるんじゃない?』っていう気持ちにもなるだろうし。言われる側も、みんなの前で言ってもらえることですごく認められた感じがある。その辺、先生はめっちゃうまいんですよ」

ミーティングを見ていて、斎藤の劇場のように感じたのは、そうした集団の心理を操作しているところにもあるのだろう。

「後、私なんかはよくあったんですけど、本人不在のところで話題にされる。これって、すごく大事なことで、『先生がこんなこと言ってたよ』っていうのを友達から聞くと、それが悪口であっても『また言いやがって』って思いながらニヤッとするようなことがある。そういうところはすごく上手にわざとやってる」

実際に私も、取材の過程で斎藤から「そう言えば○○さんが、インベさんはすぐに頭を切り替えられるところがすごいって褒めていたよ」などと言われたことがあった。そう言われると、知らなかった自分の特性に何となく意識が向いたりする。こうした心理操作は、ミーティングであれ面接であれ、随所にちりばめられているようだ。

そう考えると、斎藤が絵画作品を買って、目につく場所に飾っているのも、他の患者を触発するための戦略という気がしてくる。

積極的じゃない自殺

治療再開から約10年の月日が過ぎ、佳子は今でもミーティングに参加している。一度目は手応えがなかったのに、二度目はなぜ通院が続いたのだろう。

「たぶん、それまでは食べ吐きすることで、じわじわと自殺をしていたんだと思うんですよ。

自殺しちゃうと世間体が悪いし、周りに迷惑をかけるから、積極的じゃない自殺を試みていたと思うんです。でも、入院した時に、そこまでいって死ねないなら、もう私死ねないんだなって。どうせ生きなきゃいけないんだったら、ちょっとでも楽しいほうがいいかもっていう意識に変わったのかな」

日々、絵を描きながら充実した時間を過ごしているように見える佳子だが、その裏では長いこと過食嘔吐を続けていた。通院を再開したからといって簡単には治らなかったようだ。

「要するに、吐くことで痛めつけているので、自分を罰している感覚がある。完全に自傷行為ですよね。吐いて良いことなんて一つもない。でも、しないで生きていける気がしなかったの。食べ吐きしている期間が長過ぎて、ない生活を自分で想像できなかった」

こうした自罰傾向は、家庭で育まれたもののようだった。佳子の両親はしょっちゅう喧嘩をしており、特に父親は短気で、怒鳴り声で目を覚ますことも多かったという。しかし、親の育て方が悪かったわけではないと佳子は強調する。

「難しいですよね。まったく同じ両親に育てられた弟は、いい塩梅にマイペースで健康そのもの。親から見た姉弟のポジションと子ども同士で見た姉弟のポジションとか、ちょっと敏感ちゃんな私と、生きるのにちょうど良い鈍感さを持った親との行き違いとか。でも、こうなったのは親のせいとは一度も思ったことはないんです」

実際、両親がどれだけ不仲だったかも分からないという。

「大人の言い合いなんて普通にあるものだし、今でも離婚はしていない。でも、幼い私には、そのちょっとした言い合いで二人の声が大きくなったり、語気が荒くなったりするのがものすごく怖かったんですよね。両親をつなぎとめるためには、私がかすがいにならなきゃいけない。しっかり者で何でもできるお姉ちゃんでいなくちゃいけないとも思っていた。とにかく良い子でいなきゃって。それも、世間一般でいう魅力的な子というだけじゃなくて、ちょっと面白みもあったり、やんちゃだったり、そこまで含めて良い子であろうとした。高度な課題を自分に課して、勝手に自分を苦しくしていたところがあったんです」

厳しい自己批判の源は、親の目だったのだ。魅力的な良い子でいないと親から愛してもらえないと信じ込み、常に親の視線を気にして緊張していたという。しかし、斎藤の前では違った。

「先生は、私がどうであろうと態度が変わらない。その変わらなさに、めちゃくちゃ安心した。どんな私であっても、拒否しないし捨てない。それを感じた時に、だったら何でも平気じゃんって思えた」

佳子は、この安心感を両親にも応用しようと試みた。

「私は両親に望まれて生まれてきた。幸いなことに、それだけは信じられた。親もきっと先生と同じように、私がどうなっても捨てるわけはない。だったら、先生に感じた安心感をそのまま親にスライドさせようと思った。意識して練習したのね。例えば、親の些細な動きや口調で機嫌の悪さを感じた時、先生に感じた安心感を思い出して、『この気持ちでいいんだ、不安にならなくて大丈夫』と自分に言い聞かせた」

これを繰り返すうち、本来感じていいはずの安心感を、親から得られるようになったという。

「今は、親への感謝と諦めが良いバランスで存在している。割と健康的な関係だと思う。だから、斎藤先生が私の親を本当の親にしてくれたんです」

両親はそのままでも、その関係性は大きく変わったということだ。

信用できない患者

そんなある日、事件が起きた。2年前、佳子と同様に摂食障害で長く通っていた患者の一人が、最低限の食事を摂る生活の中で衰弱死してしまったのだ。これには斎藤も患者たちもひどくショックを受けた。その後の面接で佳子と二人になった時、斎藤は怖い顔で突然こう言ったという。

「食べ吐きばかり、いい加減にしろ！　どうせ私は、あんたたちのことなんか信用していないからね！」

佳子は、あまりの衝撃の大きさに、唖然とするばかりだったという。

「本当にあの時は、私のビックリ体験。20年近く通って、食べ吐きを止めろとは一言も言われなくて、先生がそんなこと言うなんて考えられなかったから。え？　止めろって言った？　急にそんな……、どうしたらいいんだろうって。面接の間、ずーっと動揺していたんです。食べ吐きをやらないで生きていけるなんて思えなかったから」

診察室を出ると、佳子は急に涙が溢れて止まらなくなった。止めろと言われたこと以上に、「信用していない」と言われたことが悲しかったからだ。斎藤の言う「信用していない」とは、患者が治療の甲斐もなく死んでしまうことを指している。

「ここまで愛情持って接してくれて、他の人だったら面倒くさがって言わないようなことも言ってくれて。そんな先生のことですら、私は安心させることができないんだなって思ったら、ものすごく悲しくなってしまった。先生をそんな気持ちにさせる自分って何なんだろう。もう、何か嫌だなって」

これをきっかけに、佳子の中で少しずつ変化が起きた。

「ここ何年か絵を描くようになってきて、その中でやっぱり食べ吐きをすることは障害なんですよ。時間的にも体力的にもプラスになることはない。もう一歩、前に進みたいなら止めるしかない。『佳子は摂食障害だからできなくてもしょうがないよね』みたいな口実を、自分自身に残してる。自分への言い訳として甘いところを残してる。でも、そんなつまんないことはないよなって。すごく馬鹿馬鹿しいというか。摂食障害を続けていることが本当に嫌になったんです」

２０２１年の6月、毎日続けていた過食嘔吐に「しない日」をつくろうという気持ちになった。その年の年末、「しない日をつくるだけだと、結局やる日まで我慢しているだけ。中途半端だし、これならやっているのと変わらない」と面接で話すと、斎藤は「じゃあ、止めりゃいいじゃない」と言った。それは佳子が予測していた反応でもあったという。とはいえ、長年の蓄積により体は吐くようにできている。止めることは簡単ではなかった。何度か失敗しながらも「吐かない」ことを続け、そして30年弱続いた過食嘔吐は、ついに終わりを迎えようとしている。

斎藤は、このことがとても嬉しかったらしい。アディクションへの対応は「好機」が大事だと力説する。

「これだなって思った時に、ガラッと態度を変えて入っていくのね。食べ吐きに関して、それまでずっとニコニコしながら、そうかそうかと言っていたのにさ。『いい加減にしろ！』ってわざと意図的に。今がチャンスだと思った。そしたら、以降のアディクションに対する取り組み方が違ってくるの。佳子は真面目だから。ハハハ」

まるで匠の技のように語っているが、これこそ「手法じゃなくて本音を言っただけ」の結果に見えるのは私の思い過ごしだろうか。

そんな斎藤の治療を、佳子はこう振り返る。

「先生は、自分を『鏡』だってよく言うけど、本当にそうだなと思いますね」

狛犬、銅鑼と来て、今度は鏡だ。

「自分だけでは自分は分からなくて、相手がいて自分が分かる。先生は、とってもクリアな鏡。見てもらいやすいようにいつも磨いてくれていて、見やすい角度にしてくれている感じ。時々、強烈な反射を感じる時もあるけど」

患者が、斎藤に頼り切りではなく、自分で考えて回復しているように見えるのは、そういうところにあるのだろう。

「でも何よりも、先生の生きてる姿が患者には一番影響あるんじゃないかな？　あんなにいい加減で、わがままで、自分勝手で、それでも生きていていいんだって思わせてくれるところ。先生から受け取った大きなことって、言うことが変わってもいいんだなって思えたことなのね。人は、一貫して同じことを言わなきゃダメだって思っていたけど、その時々によって違ってもいいんだってことを教えてもらった気がする。先生の生き方から、楽に生きる方法をいっぱい教えてもらってるのかもしれない」

逆に言うと、アディクションを抱えた人は、「こうでなくてはいけない」という決まりに縛られているタイプが多いように感じる。

「だって、食べたものを吐かなきゃいけないっていうのは、自分でつくったルールだから。もう絶対にそれは犯せないんですよ。食べたものを吐かないなんて、考えただけでありえない。でも、先生を見ていると、全然そんなんじゃないでしょ。『ま、そうなっちゃうんだったら、しょうがないでしょ』で、全部いける。たぶん、それが日常で刷り込まれていくんだと思う」

自分の背中を見せて教える、斎藤がやっていることは育て直しのようだ。

「先生のお嬢さんは大変だったと思う。私がもし先生の娘だったら、人んちの、自分と同世代の娘の面倒ばっかり見ていて、『どういうこと⁉︎』って絶対なると思う」

私はハッとした。考えたこともなかったが、その通りだ。

どうしてそこまで患者に情熱を注ぎ込めるのだろう。異常なまでのエネルギーの出どころは何なのか。私には、新たな疑問として浮かび上がるのだった。

第 7 章

穿けないスカート

インタビュー場所の会議室で待っていると、皆川幸夫（仮名）は、スッと音を立てずに入ってきた。私は一瞬、「女性が入ってきた」と思った。

モスグリーンのセーターに黒のパンツスタイル、髪は男性の短髪というよりショートカットだ。小柄で痩せているせいか、タートルネックの首元がオーバーサイズでユルユルに見える。

皆川は、静かに着席すると、「よろしくお願いします」とささやくように挨拶した。正面から向き合うと性別は男性だと分かるが、なめらかな手の動きや、黒目勝ちな目でジッと見る眼差しなど、醸し出す雰囲気は古風な女性だ。とはいえ、ことさら女性っぽく見せているわけではなく、むしろ中性的な外見を意識しているようにも見えた。

皆川は、斎藤が取材対象として勧めてきた患者だった。事前情報は、ほとんどない。聞けば、皆川も「あなたのためになるから」と、斎藤からプッシュされたという。その真意はどこにあるのか、お互いが分からないままインタビューは始まった。

「食べて何になるの？」

「斎藤先生のところへ通うようになったのは2014年、44歳の時だから、まだ9年ですね」

もはや、9年という歳月が短いのか長いのか、取材をしていると分からなくなってくる。

さいとうクリニックへ来る前、皆川は心療内科を転々としていた。最初のきっかけは、非正規で会社に勤めていた時のこと。正社員になるために、さまざまな資格を取っていたが、なかなか仕事に結びつかず焦っていたという。

皆川は語る。

「ある時、仕事をしていたら突然、『食べて何になるの？』って言葉が浮かんだの。働くためでしょ。『働いて何になるの？』って考えたら、生きるため。そしたら次に『生きて何になるの？』と思っちゃって。そのフレーズがバーッと出てきた瞬間に、もう食べられなくなっちゃったの」

当時は身長１６３㎝に対し、体重43㎏。充分に痩せていたが、この瞬間から、噛んで飲み込むという食事ができなくなってしまったのだ。さらに、食べるとすぐに下痢をする体に変わった。この二つの症状が、先のフレーズが頭に浮かんだ瞬間、同時に始まったのである。

「腸が動きっ放しになっちゃうんです。ものが食べられないから水分を摂るんだけど、すぐに下痢をして、一日30回、40回とトイレに行く感じ」

朝は何も食べずに出社し、倒れないために昼食は栄養補助ゼリーを飲んだ。唯一、食べられた固形物は、ポテトサラダをほんの少しだったという。

「体重がすごく減って、35㎏を切っちゃった。そしたら、もう歩けないし、階段も上がれない。

仕事先で、『大変そうだから、お休みしたらどう?』って言われたのが、35歳の時」

病院で検査をすると、腸に異常は見られなかった。過敏性腸症候群と診断され、心療内科へ行くよう勧められる。しかし、心療内科でも薬が処方されるだけで一向に良くはならなかった。こうして、およそ9年の間、皆川はさまざまな心療内科やカウンセラーのもとを渡り歩いたという。

そんなある日、担当のカウンセラーから渡されたのが、斎藤の著書だった。

「本を開いたら、斎藤先生の言葉で『どんなジェンダーを持っていても、その人の勝手』みたいに書いてあった。それで、この人に診てもらいたいと思ったんです」

皆川には、自分がトランスジェンダーである自覚はあった。しかし、そのことを隠して、男性として生きていたのだ。

女性装への抵抗

当時、斎藤は新患を取っていなかったという。そのため、さいとうクリニックにいる別の精神科医の面接を受けながら、デイナイトケアに通うようになった。半年ほど経った時、特別枠で月曜日だけ斎藤の面接が可能になり、皆川はすぐに予約をした。

初診日は、過敏性腸症候群と摂食障害についてだけ相談をしたという。

「トランスジェンダーであることは、悪いことのようにとらえていたから。誰にも話せなかったし、自分でもどうしたらいいか分からなかった。だから、その話はしていなかったんです」

ところが、斎藤はこう言った。

「あなた、ジェンダーに問題を抱えていますか?」

すぐに見抜いたのである。

「やっぱり分かるんだと思って、『はい』って答えたら、『じゃあ定期的に会いましょう』って。そこから始まったんです」

その後、斎藤の個人面接に加え、週1回のペースでミーティングに参加するようになった。だが、相変わらず皆川は、性自認についてはあまり語らなかったようだ。皆川が言うには、2回目の診察で、斎藤から「今度は違う話をしましょう」と言われたため、その話はこれ以上してはいけないように感じたからだという。どうも皆川は、過剰に気を遣う性格らしい。斎藤が目の前にいても、短く現状報告をするだけにとどめてしまっていた。

こうして約6年間が過ぎた頃、ミーティングの席で斎藤が言った。

「あなたは、核心を話さないよね。もったいないと思っているの?」

皆川は困った。もったいないだなんて思っていない。とはいえ、何を話していいかも分からなかった。すると、斎藤は続けた。

「あなた、スカートとか穿かないの？」

「穿きません」

「穿けばいいのに。ちゃんと女性装をしてごらんよ。見られることが大事なんだよ」

そう言われても、皆川はむしろ、できるだけ人に見られたくはない。女性の格好をすることにも、抵抗があった。

皆川は言う。

「いつかやらなきゃ、いつかやらなきゃという気持ちは頭にあったけど、なかなかできなかった。でもある時、意を決して着てみたんです」

毎週土曜日のミーティングは、比較的知らない人が多く参加していた。皆川はその日を選んで、斎藤に言われた通り初めてスカートを穿いて参加したのだ。

「ちょっと、立って見せて」

斎藤に言われ、皆川は恥ずかしそうに立ち上がる。そのスカート姿を見て、斎藤は言った。

「あなた、何でそんな地味な格好してるの？　もっと、人がハッとするような派手な格好をしてごらんよ。花柄とかさぁ」

「それはできません！」

「大丈夫だよ。今はマスクしてるんだから」

コロナ禍であったため、斎藤はすかさずそう返すのだった。

それにしても、女性の心を持っていても、女性装に抵抗があるものなのだろうか。雰囲気がどう見ても女性なだけに、私には不思議だった。

「自分の中で、女性装はしちゃいけないことになっていたんです。でも、先生と話すと、必ず洋服のことを言われる。『あなたの場合、寒くなったからコートを着ましょうっていうんじゃダメなんだよね』って。え、そうなのかなぁって思った。その時に、『あなた、この話をしておいでよ』って言われたんです」

何と、この流れでインタビューを受けることを勧められたという。つまり、この女性装をするしないという押し問答は、まさに現在進行形で行われていることなのだ。

しかし、私から見ると、この日の服装もパンツスタイルとはいえ十分に女性的である。そもそも雰囲気や身振り手振りが、男性とはまるで違う。

「今日のファッションは女性装ではないんですか?」

私がそう聞くと、皆川は否定した。

「全然違う。何かね、やっぱりズボンかスカートかっていう違いはすごく大きい。この服なら、自分でも着られる」

　今は異性装をしているつもりはないようだ。それでも女性的に見えるのは、内側から滲み出ているものなのか。

「でも、仕事の面接に行く時に着る男性用スーツもすごく緊張するんです。それも先生に相談した時に『男装の麗人で行きなさい』って言われたの。『宝塚の男役でやればいいんだよ』って言われて、あ、そうかって思った。そのつもりでやってはいるんだけど、最初は居心地が悪かった。こうして頭を切り替えていけばいいのかなと思ったりしたけど、でもやっぱりいまだに慣れない」

　ということは、男性装でも女性装でも不自然に感じるということだ。

「どっちを着ても違和感がある。そうですね、今話していてそう思いました」

　では、斎藤に言われた通り、スカートを穿いた時はどんな気持ちだったのだろう。

「いつも街で、女性がお洒落をして歩いている姿を見ると、いいよなぁ、あの人はああいう格好ができるんだもんなぁって思っていた。ということは、自分も着たかったんだっていうことに、スカートを穿いたことで気づけたかな」

娘扱いの息子

どうにも皆川には「自分は女性ではない」ということが、ストッパーとして大きく働いてしまうらしい。それは、母親との関係にも表れているようだった。

皆川は、7歳の頃に父親を仕事中の事故で亡くしている。母親は、女手一つで子ども二人を育て上げた。そのため、母親が仕事に出ている間は、兄弟の弟である皆川が、家事のすべてを任されていたという。

「母に言われて洗濯だの掃除だのをしていましたね。でも、最後の抵抗として、料理だけはやらなかった。それをしたら、もう全部をやらされちゃうから」

不思議なことに、母親は、兄には一切家事をさせなかったという。

「母がやっていることは、娘に対する接し方なんですよ。よく先生は、『母は娘を自分の手先のように使う』っておっしゃるけど、まさにそんな感じ」

行動だけを見れば、皆川を娘扱いしているということだ。しかし、母親は、皆川がトランスジェンダーであることを知らないという。

「知らないはずがないとは思うんですけどね。一応、知らない体でいるというか。まだ望みを持っているのか分からないですけど」

娘扱いをしながら、息子だということにする。こうした母親の態度は、そのまま皆川自身の女性装への抵抗と重なって見えた。気を遣い過ぎる皆川の性格を考えると、母親の気持ちを汲むあまり、自分の願望にストップがかかってしまうというのはありえそうだ。

もっとも、皆川の当初の相談は、過敏性腸症候群と摂食障害である。その件はどうなったのか。

「でも先生は、その話をしないんです。絶対」

これは、すべての患者に共通する斎藤の考え方のようだ。

『『食べられないなら、食べなきゃいいじゃない』みたいな。例えば、眠れない人だったら、『起きていなさいよ。寝ないと人間は倒れますから、倒れて危なくないところに座っていなさい』っておっしゃる。だから、食べられないということも、あんまり話したことがないんです。摂食障害のこととか、過敏性腸症候群のこととか、本当に何も言われない」

つまり、斎藤が皆川にやっていることは、女性として生きていくためのアドバイスのみということになる。

「先生からは、『あなた、どうしてゲイコミュニティの中に入って行かないの?』って言われる。でも、新宿二丁目は、行ってはいけないところだと思っていた。『行っておいでよ』と言われて、一度行ってはみたんだけど、何だかそこでも男らしさを求められるところなんだなと思って、余計に疲れちゃった。それを先生に言うと『あなたが嫌なら行かなくていいよ』と言うし」

新宿二丁目は、ゲイの街だ。皆川の恋愛対象は男性だが、微妙に目的が違っていたのかもしれない。

先生の顔が浮かぶ

皆川は、過敏性腸症候群を発症してから、仕事もままならなかった。職業訓練校にも通っているが、ブランクがあるため、今もなかなか仕事が決まらない。そうしたことも、斎藤に相談していたという。

「職業訓練校では、パートの事務員として応募したほうが通りやすいですよって言われていたの。その話を先生にしたら『あなたね、丸の内のOLを目指そうったってそれは無理だよ』って言われた。そんなもの目指してないし！　分かってもらおうと思って応募先の資料を持って行ったら『あなたが決まらないっていうから言っただけだよ』って怒ったりする。いろいろ言ってもらえるんだけど、何か先生に見てもらえていない気持ちになって、もう行きたくないと思った。

去年の夏くらいかな。ミーティングに行かない時期があったのね」

皆川は、しばらく斎藤と距離を置いた。過去にデイナイトケアで診てもらっていた心理カウンセラーのもとにも並行して通っていたため、そちらだけに行くようにしたという。

だが、そんな時、皆川を不運が襲った。母親の物忘れがひどくなり、病院で検査をしたところ、認知症が始まっていることが発覚したのだ。

「自分の人生これで終わった。母の面倒を見なきゃって思ったんです」

皆川は、斎藤のリカバリングアドバイザー養成講座も受講したことがあり、その知識を兼ねて、キャリアコンサルタントの資格を取り、ゆくゆくはキャリアカウンセラーの仕事がしたいと考えていた。ところが、母親の介護という現実がのしかかってきたのである。

「立てていた計画も、これでもうダメになった。どうしていいか分からなくなった時に、バッと斎藤先生の顔が頭に浮かんだのね。そうだ、先生にカウンセリング入れてもらおうと思った」

切羽詰まった時に浮かんだ顔は、他のカウンセラーではなく、斎藤の顔だったのだ。この「斎藤の顔が浮かぶ」という現象は、他の患者にもしばしば起きることらしい。こうして面接を入れ、事情を話すと、斎藤はあっさりこう言った。

「全然ダメになっていませんよ。あなたのお母さんは年相応の老化だから。あなたは自分のやるべきことをやりなさい。キャリアカウンセラーを目指すなら、今すぐやりなさい」

この言葉で、皆川は救われたという。

「一人で考えていると、どんぶりに全部ぶち込んで、混ぜこぜにしてわけが分からなくなっちゃうけど、先生に話すと、一つひとつがちゃんと整理できるというか。これはこうすればいいでしょ、あれはこうすればいいでしょって。ああ、そうかってなる」

ちなみに、噛んで飲み込むという食事ができなくなった摂食障害については、4年ほど前に、ある日突然克服したという。それはクリニックとは関係ない、ある出来事がきっかけだった。

「ずっと昔に、一緒に働いていた人と久しぶりに会う機会があったんです。その人はよく食べる人で、お腹が空いたというので、ハンバーガー屋さんに入ったの。『あんたは何頼む？』って言われて、これはチャンスだと思って、そこで食べたら抵抗もなくなっていた」

不思議な話である。

「何だろう。その人に安心感みたいなものがあったのかな。別の人だったら、そうはならなかったと思うけど」

症状は、突然始まって、突然終わったのだ。過敏性腸症候群についても、昔ほどひどくはないという。皆川は、デイナイトケアで受けた影響も大きかったと語る。

「何かやっぱり、あそこでいろんな人と関わって、いろんな人と話していると、頑なに食べないでいることが無意味に感じてくる。食べないでいると、悪いことはあっても、良いことなんて一つもないから。摂食障害の人同士だと、お互い『食べられないよね』って話になるから出口がない。それこそ、『あなたどうして食べないの？』って疑問に感じてくれる人のほうがいいんです」

さいとうクリニックには、窃盗癖もいれば、痴漢、ゲーム依存、買物依存、共依存、引きこもりなど、さまざまなタイプの患者がいる。彼らから見れば、「食べればいいじゃん」というシンプルな話になるのだ。

「何か結局、背負っているものはみんな同じだと思うんですよ。でも、自分のことだと分からなくて、人のことだとよく見える。例えば、バタードウーマンは、こういう人なんだ、なるほどねぇみたいな。自分はどうかなと振り返って、大丈夫と思ったりする」

この、「他人のことだとよく見える」現象は、同じ摂食障害の人同士でも起こるらしい。皆川のような制限型の拒食症はクリニック内でも珍しかったが、それでも二人ほど話す機会があったという。

「その人たちに話を聞くと、食べないことに対して『でも私はこれでいいんです』って言っていたりする。本当にいいの？　それで満足する？　って、人のことだと思うんです」

自分も食べないのに、自分と同じことをしている人を見ると心配になるのだ。

「で、はたと自分に気づくみたいな。今も、こうやってお話ししながら気づく。一人だと、自分の気持ちに折り合いをつけてきちゃっているから、どれが本当の気持ちか分からなくなっちゃうのね」

リビドーの枯渇

斎藤は、「5年後に杭を打つ」という言い方で、患者に青写真を描かせ、そこに向かって進むようにさせている。皆川の目的地はどこにあるのだろう。

「それ、先生に聞いてみたこともあるんです。杭を打ってもらいたいと思ったから。そしたら、『あなたがゲイコミュニティに入ることでしょう』って言われた。入っていけないんだけどなぁ、みたいな」

その他にも、斎藤はいろいろと提案をしているようだ。

「思い出したんですけど、決まったバーに行くことも勧められました。『何回か通っているうちに、あなたが気に入った人に出会える。で、あなたはその人に会いに行く。でも、その人があなたを好きになるとは限らない。そういうものでしょ』って言われたことがある」

つまり、花柄の服を着たり、ゲイコミュニティに入ったり、バーで男性と出会うなど、斎藤が言っていることは一貫して、女性として「恋愛せよ」ということだ。

「そうですね。最初の頃に先生から、『私、あなたに愛人の一人や二人いてもおかしくないと思うよ』って言われたことがある。愛人？　何で恋人じゃないの？　そこ意味ある？　って思ったけど。そう、そんな話をずっとされ続けてる」

これまで、男性から女性として扱われた経験はあるのだろうか？

「ないんです。だから、しろって言ってるのかな？」

それを聞いて私は、何てもったいない人生だろう、と思ってしまった。だが、その瞬間、自分はどうなんだと我に返る。ミーティングで言われる、「他人のことだとよく見える」というのは、まさにこのことなのだろう。

「望んではいるんですけど、自分が良いなと思う人が全員ストレートな人だったから。自然な出会いの中では難しい。だから、ゲイコミュニティへ行って知り合ったらどうかって先生はおっしゃったんだと思う」

しかし、行動だけを見ると、むしろ皆川のほうが女性として見られることを避けているようにも見える。

「先生はよく、リビドーの枯渇という言葉を使いますね。『それがあなたたちを具合悪くさせちゃってるんだから』って言う」

リビドーの枯渇、つまり性的欲動の枯渇だ。これは皆川に言ったのではなく、講演会で斎藤が話していた言葉だという。

その意味は何なのか、後日聞いてみると、斎藤はこのように解説した。

「アディクションは、どこか性的なエネルギーがコンバート（変換）していると思うんですよ。あれだけ熱心に、額に汗、背中に冷や汗流して、一生懸命アディクションをやっているのは、性的な衝動を恐れているからでしょう。例えば、摂食障害の女の子たちも、たいがい性的にはすごく貧しい。中には男の子の性的道具みたいになる子もいるけど、自発的な性衝動を消化しているようには見えない。ただ、それも1割以下で、9割は性的な行為を怖がっている。特に制限型の摂食障害、拒食症の人の場合はそう。実際に不整脈を起こしている人もいて、そのまま性行為なんかしたら、死んでしまうのではないかと思うような体をしている。だいたい、痩せ過ぎて生理がなくなるじゃない。30kgを切るというのは、10歳いかないくらいの子どもの体重でしょう。女性でも男性でもなくて、少年の体になっちゃうということだから」

拒食症である皆川も、まさに性を否定しているように見える。だから斎藤は、自分の性を解放するための具体的な行動を促しているのだろう。

謎めいた診察

そんな斎藤の治療は、皆川にどう映っているのか。

皆川には、ある印象的な出来事があるという。それは、一度だけミーティングに母親を連れてきた時のことだった。

「いつもお世話になっております。皆川です」

ミーティングを終えた帰り際、母親は斎藤に挨拶をした。

「今日はどちらからいらしたのですか？　そうですか。今日は遠いところからありがとうございました」

二人の会話は、たったそれだけである。ごく普通の挨拶だ。

皆川は言う。

「自分としては母との折り合いが悪いというか、葛藤があって先生のところに行ったというのもあるんです。けど、その話はあんまりしたことがなかったんですね」

先述したように、皆川の父親は早くに亡くなり、母親は仕事をしながら、女手一つで子どもを育ててきた。しかし、そうした話を斎藤にしたことは一度もなかった。ところが、次に会った時、斎藤は皆川に、母親の印象をこう語ったという。

「『あなたのお母さん、すごい頑張り屋だよねぇ。強いよねぇ』って、その会話だけでおっしゃったの。その通りなんです。でも、母の見かけは全然そんなふうではなくて、ほとんどの人が母を見ると『穏やかな人ですね』って言う。だから、すごく驚いた。何で分かるの？ って」

斎藤は、たった一言交わしただけで、母親の本質を見抜いたのだ。一体、何が見えていたというのだろう。

「よく先生がおっしゃるのは、『私はその人の向こう側を見ているからね』とか、『人の話なんか聞いてない、嘘つくから』って」

私は怖くなってきてしまった。斎藤はいつも、学術的な知識を交えて論理的に説明をするが、実はそれは隠れ蓑で、本当は霊視でもしているのではないかと疑ってしまう。

あまりにも不思議なので斎藤にこの件を聞くと、その時のことはよく覚えていないと言いながらも、笑いながらこう答えた。

「はっきりジェンダーディスフォリア（性同一性障害）でもないし、トランスベスタイト（服装倒錯）でもないし、自分の息子を測りかねているんだろうなと思ってね。皆川さんのお母さんは大変だなと思っていたのよ。何となく、彼とお母さんの距離が近いような気がしていたから。これは、お母さん自身が皆川さんを理解しようとして、しかねている問題。皆川さんが定職に就かない理由も、やっぱりお母さんを離しておくのが危ないと思っているんじゃないかな、お母さんに問題があるんじゃないかなと読んでいたのよ」

つまり、挨拶した時の印象がどうこうではなく、日頃の皆川の言動から、母親の性質を察していたということだ。そう言われると、なるほどと納得してしまう。だが、皆川の話を聞くと、これ以外にも斎藤の行動は謎であることが多いらしい。

皆川は言う。

「一対一の面接とかも、まっすぐ前を見て聞いてくれたことがあんまりない。『うん、うん』っていいながら、そっぽ向いてる。で、見ていないだろうなと思って下を向いて喋っていると、ジーっと見ている時もあるんです」

まるで、悟られないように観察しているかのようだ。

「話を聞きながら、ネットでポチポチやっている時もあるし。で、ミーティングでみんなの前に座った時に、『私、あなたの話聞いてなかったから、もう1回ここで話して。Amazonで買物してたから、聞いてなかった』って言うの。でも、これ、わざとなんだろうなって思う」

一対一で話したことを、あえておおぜいの場でシェアさせるということだ。そこに斎藤の思惑があるのだろう。

さらに、皆川は、強烈な印象として残っている、あるエピソードを教えてくれた。それは、ミーティングの場で見た、他の患者と斎藤とのやりとりだという。

「いつも先生から、『あなた同じ話しかしないよね』って言われていた人がいたんです。その人が、その日もミーティングで同じ話をしていたんですよ。そしたら、先生が全然関係ない話題をポロっと振ったの。そしたら、その人が急にバーッと核心を喋り出した。えーっ⁉ 先生、今何て言ったの？ もう1回言ってよって。あれは本当に惜しいことをした」

斎藤の一言で急展開し、患者がそれまで明かさなかったことを勢いよく喋り出したという事例は、まさに、私が最初のミーティング見学で目撃したものと一緒だ。しかも、油断していて、斎藤が何をしたのか分からなかったところまで同じである。どうもミーティングに参加した人は皆、斎藤のこの魔術のような手法を目の当たりにしているらしい。

「あれってすごいと思う！」

皆川はそう言うが、斎藤がどんなテクニックを使っているのかは、長年通っている患者たちにも分からないという。そのため、患者同士で話題になることもあるようだ。

「あれをやってほしいっていう人もいるんだけど、そういう人にはやってくれないみたい」

不意打ちでしか飛び出さないのだろうか。

もっとも、こうした突然の大転換は、斎藤が不在でも起きるようだ。皆川は言う。

「ある日、突然なんですよ。これでいいんだって思えた時があった。去年の暮れですね。麻布に来る時にね、今日はこれを着ていこうって女性の服を選ぶんだけど、何だかんだ理由をつけないと着られない自分がいた。だから、もう決めたんだからやろうって思ったの。その帰り道に、ガラスに映った自分を見て、『あ、これでいいんだ』と思った。何か無理して、女の人じゃないから着ちゃダメとか考えていたけど、そういうことではないんだなって」

いまだ抵抗があるとはいえ、自分でつくったルールからは解放されたのである。

斎藤の手法は、気がついたら回復しているというものなのだろうか。ひょっとすると、治されたことに患者は気づかないということがあるのかもしれない。

第8章

父親を生き返らせて殺したい

物心ついてから動物を殺せる人間は、人も殺せると聞いたことがある。そして、滝口博雅（仮名）も、過去に犬猫を殺していた人物だった。そんな前情報とともに出版社の会議室で恐る恐る待っていると、ベージュのコートに赤いベレー帽をかぶった男性が現れた。どこか、藤子不二雄の漫画に出てくる画家を彷彿とさせる。

席に着くと、「マスク外したほうがいいですか？　表情が見えたほうがいいですよね」と言い、細やかな気遣いまで見せてくれる。意外なギャップに、私はひとまずホッとするのだった。

滝口が、さいとうクリニックに通い始めたのは、２００７年、44歳の時だ。通院歴は、現在16年ほどになる。症状は強迫性障害。神経症の一つで、強い不安により、無意味と分かっている行動を繰り返してしまう病気だ。

「症状は、子どもの頃からありましたね。一番古い記憶は、小学校入学前。勉強机を買い与えられて、ノートや教科書や文房具を、机のへりと平行に、あるいは垂直になるよう並べていたことを覚えています」

幼少期からストレスにさらされていたのか、成長すると動物を殺すようになったという。

「あれは、3年目の浪人をしていた20歳の頃ですね。近所の野良猫や野良犬を蹴り殺していました。溜め込まれていた怒りの捌け口でした」

時は1983年。まだ野良犬が歩き回っていた時代だ。

「1997年に『神戸連続児童殺傷事件』が起きた時は、あぁ、一歩間違えたらこいつになっていたのかなと思いました」

酒鬼薔薇聖斗こと少年Aも、殺人を犯す前に野良猫を殺していたことで知られている。こうした問題を抱えながらさいとうクリニックにやってきたのだが、それまでには紆余曲折があったという。

森田療法40日間

滝口は、大阪南部の農村地帯で生まれた。両家にとって初孫で、家の跡取りとしてたいそう期待されて育った。四つ下に弟もいたが、父親の関心は長男である滝口に集中していたという。

「父が、いつ、そうした方針を立てたのかは分からないけど、僕が小学生の時には、『お前は高校を出たら、浪人しないで家から通えるところにある国公立大学に行くんだぞ』と言われていました」

小学校6年生になると、父親の指示で最難関校である灘中学校と大阪教育大学附属天王寺中学校とを受験することになった。1970年代当時、中学受験をするクラスメイトなど他におらず、その地域ではかなり異質だったようだ。

「うちの周りに塾なんてなかったですよ。代わりに、家庭教師に来てもらっていたけど、その先生も灘中学に受かるような指導はできない。結局何も習っていないのにボクシングのリングに上がったようなもので、叩きのめされた感じでしたね」

あっさり落ちて公立中学に入ることが決まると、父親は高校受験に賭けるべく、今度は大阪市内にある塾へ通わせた。そこは灘高校におおぜい受かることで有名な塾だったという。

「学校から帰ってくると軽食を取って塾に行き、帰宅は22時。そこから風呂に入って夕食を取ったらもう23時で、後は寝るだけ。他には何をする時間もない。年中無休で塾に通って、中学3年生になるとさらに授業時間が増えて耐えがたくなってきました」

この頃になると、身長は父親と並ぶくらいになっていた。物理的にも反抗が可能になり、限界を感じた滝口は、生まれて初めて父親に逆らい塾を辞めた。だが、ストレスから解放されることはなかった。

「塾を辞めて自由な時間ができると、強迫性障害の症状がどっと現れてきたんです。でも、その時は病気という自覚はなかった。何か変だな、自由にならないなと思う程度でした」

灘高校には入れなかったものの、滝口は住んでいた区域の中で一番の進学校だった大阪府立高校に入学した。ところが最初は学年50位くらいだった成績はみるみる下がり、志望大学にも落ちた。そして浪人生活が始まった。

「浪人している時、ふと、『紙は、なぜ、長方形をしているんだろう？』と思ったんですよ。あるいは『この文字を印刷しているインクはどうやってつくるんだろう？　原料は？　製造方法は？』『いや、そんなことを考えていないで勉強しなければ』と思うんだけど、その疑問が頭から離れない。これは明らかにおかしいなと」

滝口は自分の心の状態を調べるため、書店の心理学コーナーに向かった。そこで、森田療法について書かれた本を手に取ると、まさに自分と同じ症例が載っていたという。

「それが浪人2年目かな。でも親に負担をかけているうえに病気になったとは言いづらくて、大学に入ってから治せばいいと考えました」

3浪したのち、滝口は弁護士を目指して関西大学の法学部に入学した。ところが、ここでも強迫性障害に悩まされることになる。法律学辞典を開くと、用語説明の中に専門用語が出てくる。それを調べるために別の項目を引き、その中にまた分からない用語が出てきて調べるという作業を繰り返すうちに、終わらなくなってしまうのだ。肝心の教科書は、まったく読み進められなかったという。

「『あれあれあれ？　これ、何だ？』って思っているうちに、単位が足りなくて4年で卒業できないことが決まってしまったんです」

これをきっかけに、滝口は森田療法で本格的に治療することを決意する。森田療法とは、精神科医の森田正馬（まさたけ）が創始した、不安障害に対する独自の精神療法のことだ。

「白揚社から出ていた森田療法の本には、『40日間入院すれば完治する』（森田療法の原法では40日の入院となっているが、現在では2、3ヵ月入院させることも少なくない）と書いてあったんですよ。東京に、森田正馬の直弟子が開いている診療所があったから、そこが総本山だろうと見当をつけて、父に金を出してもらって入院したんです。当初は、『これで良くなる。40日後に退院したら薔薇色の人生が開けてくるだろう』と思っていました」

入院中は、同じ症状を持つ患者たちと共同生活を送ることになった。朝食の後、午前中は全員で掃除。当番で食事の配膳や後片づけをして、風呂を焚くための薪を割る。レクリエーションでスポーツやゲームもした。日記を毎日つけて、それを主治医に見せるという決まりもあった。そして、長くても、100日間で退院することがルールだった。

「症状はそのままにして、とにかく言われたことをやる感じですかね。だけど退院が近づいても全然治っていないことにゾッとするわけですよ。むしろ退院が近づくにつれ、なぜか症状がひどくなる。で、ふと気づいた。本には治った例しか載せていなかったんだなと。入院したけど治らなかった人たちがおおぜいいて、その人たちのことは本には載っていなかったんだと気がつきました」

残念ながら、森田療法は滝口には効かなかったようだ。こうして症状を抱えたまま大学に戻り、治療を諦めてしまったのである。

「森田療法が最後の頼みの綱だと思っていたので、そこがダメなら、もう他に行くところがない。それ以前にも、病院に行ったり、カウンセリングを受けたりしていたんですよ。でも、全部ダメ。じゃあ打つ手はないなと思って、しばらく治療らしいことはしませんでした」

恨み辛みを語り尽くす

大学は8年間かけても卒業できず、29歳で除籍処分にされた。その後は、細々とアルバイトをする日々。斎藤の著書に出会ったのは、そんな頃だった。

「『アダルト・チルドレンと家族』を読んだ時、これはまさに自分だと思った。しかも治せなかった例も出てくるんです。この人は信用できる、斎藤先生の治療を受けたいと思ったんですけど、そんなことを父が許すはずもない。父からは『お前のような人間を残して逝ったら世の中に迷惑がかかるから、俺が死ぬ前にお前を殺す』と言われていましたから」

当時、斎藤はＪＡＣＡという団体をつくっていた。そこでは、当事者たちがスタッフとなり、電話相談を受けていたという。

「電話をかけて、『これから、どうやって生きていったらいいのか、分かりません』と話したら、『ここには、生活保護を受けながら、さいとうクリニックに通っている人たちがおおぜいいますよ。あなたもそうしたらどうですか？』と言われて、そんなうまい話があるのかと思ったんです」

１９９８年、団体主催のワークショップが行われることを知った滝口は、そこで斎藤に直接質問することにした。すると斎藤は、「あなたは、東京に出てきたほうがいいと思います」とアドバイスしたという。

これを聞いた滝口は、上京することを決意し、5年間かけて２００万円を貯めた。ところが、引っ越しをしようとした矢先、父親ががんで余命わずかであることが発覚する。弟はすでに実家を出ており、母親独りに父親を任せるわけにはいかなかった。そして父親は約3ヵ月後に死去。壮大なゴミ屋敷が残された。

「父もある種の精神障害だったのかな。１５０坪くらいの敷地の中に建物が三つあって、そのすべてがゴミ屋敷だった。業者に頼むと、かなりの金額が必要だというので、自分で片づけることにしたんです。それで1年半くらいかかってしまった」

ようやく東京へ引っ越した時には、２００7年になっていた。念願かなって斎藤の面接を受けたが、斎藤は優しい言葉をかけるばかりではなかったという。

「僕の病気についても『あなたは、スタートの位置が悪過ぎた』と言ってもらえたかと思うと、『自分が無能であることを隠すには、病気になると便利だよね』と言われたり。ハッハッハ！ショックでしたね」

クリニックに通い始めた滝口は、ミーティングに積極的に参加し、週1回、他の患者たちの前でシェアする他、斎藤の面接を2週間に1回の頻度で受けた。滝口はこうして自分のことを話し続けるようになったのだという。

「最初はこれまでの経歴。僕の解釈ですけど、たぶん父親のせいでこうなったということを話したんです。だけど、週に1回話すと、3ヵ月くらいで話すことがなくなってしまった。あれは自分でも驚いた。『そんな馬鹿な』と。『この数十年間の、父親に対する恨み辛みを、どうしてそんなに短い時間で全部話せてしまうんだ？』と思ったんですけど、案外話すことってないんですよね。それ以降はしばらく人の話を聞いているだけになってしまいました」

話し尽くすということも治療のうえでは大事だったようだ。ちなみに、犬猫を殺していた過去をミーティングで暴露すると、斎藤からは「我慢が足りない」と叱責されたという。我慢の問題なのだろうか？

「願望は抑えられませんからね。先生は、『私がしていることは、精神科医の治療ではなくて、年長者としての常識的な助言だ』とおっしゃっていますす。『我慢が足りない』もそうですよね。たいていのカウンセラーはそうは言わない。ハッハッハ！」

愛の告白

クリニックにいると、患者同士の交流も増える。滝口は患者たちと積極的に仲良くしていたようだ。

「患者同士の横のつながりで羨ましいのは、結婚したカップルが何組かいることですね。それは、東京に来る前から聞いていました。電話相談で、『ここには、そういう夫婦が何組かいますよ』と言われて、自分もさいとうクリニックに行ったら、すぐに彼女ができると思っていました。それが目的で来たようなものだったんだけど、そういうことはまったく起きないまま。後から来た、元ゲーム依存の梶原君が、女性患者と結婚しました」

そう言えば痴漢の団九郎も、クリニックで「モテた」と言っていた。その話をすると、滝口は首をかしげた。

どうやらクリニック内には、本書には登場しないが、爽やかで好青年風の痴漢が他にいるらしい。痴漢がモテるというのは、一般社会では理解しづらいが、ここでは似たような境遇の男女が集まるからか、あるいは斎藤が焚きつけているからか、どうにも恋愛が盛んなのは確かなようだった。

「さいとうクリニックの患者では、僕は二人の女性を好きになりました」

しかし滝口の場合、恋愛には発展しなかったという。

「一人目は結婚していたし、二人目もそのうち来なくなってしまいました。でも、告白はちゃんとしましたよ」

もっともその告白は、斎藤に促されてのことだった。斎藤との面接で、こんなやりとりがあったという。

「恋愛しなさい。あなたは、そのためにここに来たんですよ。誰かここで気になる人はいないんですか?」

「一人いますけど……」

「誰ですか?」

「え?　……○○さんですが……」

「ああ、○○さんね。で、どうするんですか?」

「いや、別にどうするつもりもありませんけど……」

「レイプさえしなければ、何をしてもいいですよ?」

「いや、別に、その人のことを愛しているわけじゃなくて、ただ綺麗だなって思っているだけですから……」

「じゃあ、その綺麗だなと思っているということを、あの人に伝えなさい」

「でも、そんなことをしたら、あの人はここに来るのが怖くなってしまうんじゃありませんか? 僕がいるからここに来たくないとあの人が思うようになってしまってはいけませんから……」

「男性に関心を持たれることで、女性は元気になります。ですから、ぜひ言ってあげなさい」

そして、こう付け加えた。

「ただし、……無理ですよ」

無情だ。滝口が好きになったその女性は、たいそう美人で、海外赴任中のエリートの夫がいたらしい。滝口が入れる隙は、端からなかったのだ。この一連のやりとりは、自虐とともにミーティングでシェアされた。

「その頃は、ある女性患者の娘さんが自殺した直後で、その女性がミーティングで娘さんのことを話すたびに、みんな、もらい泣きしていたんです。そこで、幕間のピエロに徹して自分の話をしたら、爆笑の連続になりました」

告白のシーンは、このようなものだった。

「クリニックの一角にベンチがあったので、そこに座って伝えました。『初めて見た時から、綺麗だなって思っています』と、このセリフでまず爆笑。その女性から『ありがとうございます……嬉しいです……でも……そう言われても……ねえ……どうしたらいいのか』と言われたことを話すと、また爆笑」

最後に、斎藤が「今度は、よそで恋愛しなさい」というオチをつけて、さらに爆笑が起き、落語のように終わったという。

完璧な整理整頓

それにしても、話を聞いていると強迫性障害の治療はまったくしていないようだ。日々のドタバタ劇そのものが治療的な意味を持っているということなのだろうか。

「どうなんでしょうね。斎藤先生は、すべては人間関係の問題だとおっしゃいますけど。そもそも強迫性障害に限らず、病気ではないと、ずっとおっしゃっていますよね。その人にとって必要だから症状が出ている。その人自身が損をしたり、あるいは第三者に迷惑をかけたりするから、何とかしなければならないことではあるけれど、病気ではないと」

滝口は強迫性障害は現在も治っていないという。とはいえ、こうしてインタビューを受けている間、症状が出てくることはなかった。

「人前では抑えていますね。その意味で、コントロールはできているわけです。例えば、スーパーなんかで、並んでいる瓶のラベルが正面を向いてないと、ちゃんと見えるように直したりはしますよ。あの人、病気なんだろうなって思われるのは苦痛ではあるけど、まぁいいかな。ただ、自分の時間はなくなってしまいます」

一方で、強迫性障害は、悪いことばかりではないという。

滝口は現在、ＪＵＳＴの管理者として働いている。事務所は、家族機能研究所の隣のビルにあり、会員の居場所として機能する他、電話相談を受けるなどの活動を行っている。

その部屋は、最近引っ越してきたばかりらしく、安く借りられる代わりにメンテナンスはまったくされていなかった。そこで滝口は、工具一式を買ってきて壊れたところを直し、3ヵ月かけてピカピカに磨き上げたのだ。

私が行った際も、カーペットにはゴミ一つ落ちておらず、すべてが美しく整頓され、とても居心地が良かったことを覚えている。この部屋ができると、第10章に登場する元引きこもりの永田が、毎日のようにやってきて寝転がるようになった。ゴミ箱が二つ並んでいたので、側にいた永田に「燃えないゴミはどっちですか?」と訊くと、「どっちでも大丈夫ですよ。滝口さんが完璧に仕分けしますから」と言われて驚いたこともあった。

だが、滝口は自分の評判についてこう語る。

「先生は、出会って間もない頃は、僕のことを、すごく凶暴な人間じゃないかと思っていたらしい。『寄らば斬るぞと言わんばかりな雰囲気』と言われていました。最近も、『あなたを好きになるには時間がかかる』と言われました。僕は、他の患者にも評判が悪いんですよ」

そう言われても、初対面では嫌われる要素がどこにあるのか分からない。試しに永田に聞いてみると、笑いながらこう答えた。

「滝口さんは、女性の容姿に点数をつけるんですよ。しかも、それを相手に伝えるんです。『あんた67点』とか。絶対アウトでしょ？」

凶暴さが原因ではなかったようだ。

では、斎藤はどう見ているのか。後日聞いてみると、斎藤は、ＪＵＳＴで働く滝口のことを高く評価しているようだった。

「彼は、強迫症状が強くてなかなか仕事が進まないと言うけど、私は能力をすごく買っているんですよ。会計処理も非常に正確で、何より会報誌をちゃんと定期発行してくれる。ただ、問題は、彼の厳格さ。不潔恐怖で、トイレに、『陰毛を拾え！』みたいな張り紙したりするの」

私は、ヒェッとなった。ＪＵＳＴのトイレは一つしかなく、もちろん男女共用だ。そんな張り紙があったら、入りたくないだろう。さらに、女性を見る目も厳しいようだ。

「彼には、自分が惚れる女性は絶世の美女じゃなきゃいけないという変な信念があるの。それに価する女性がいないから、女性とは気が合わないという論理なのよ。それを聞かされる女性たちは、すごく不愉快じゃない？」

そのため、滝口がＪＵＳＴの仕事をしていると、女性会員が部屋に来なくなる傾向があるという。強迫症状は、思わぬ形で支障を与えていたようだ。

父親の本心

ところで、滝口の強迫性障害は、父親との関係とどのようにつながるのだろう。今でこそ教育虐待という言葉もあるが、時は昭和だ。父親は息子に、良い大学へ行ってほしいだけだったのか。

「そこがちょっと複雑で、父は『大蔵官僚になれ』とか『灘中・灘高に行け』と言いつつ、東大文Ｉ・東大法学部に行けとは一度も言わなかった。『お前は、この近所の人たちに世話になって育ってきたんだから、これからもずっとここに住んで恩を返していかなければならない』と言われていたんですよ。『大蔵官僚になることと、大阪に住み続けることとを、一体どうやって両立するんだ？』と訊いても、『いや、できる』と言って、ニタニタ笑っているだけでした」

息子の出世を望みながらも、自分のもとから手放そうとはしなかったということだ。

「強迫性障害になることによって、父の期待に応えてしまっているのかなとも思うんです。何でもきっちりやることもそうだし、結果的に無能になることもそうだし」

どういうことなのか？

「父の言う、『お前は、この近所の人たちに世話になって育ってきたんだから、これからもずっとここに住んで恩を返していかなければならない』というのは、つまり、父を捨てるなということ。捨てさせないためにはどうしたらいいかというと、食べていけないようにすること。自分で食べていけるようになったら家を出て行ってしまうから。で、ものの見事に成功した。強迫性障害になった結果、僕は勉強も仕事もできなくなって、家に引きこもらざるを得なくなった。結局、父が死ぬまで、あの家からは出て行けなかった」

滝口の望みは、すぐにでも家を出ることだったが、強迫性障害のおかげで長らく叶わなかったのだ。

「そもそも父は、僕が成長することを嫌がっていたんですよね。例えば、身長がほぼ父と同じくらいになった時、『もうそれ以上大きくならなくていい』と言ったんです。『鴨居に頭をぶつけるようになったら困るだろう？』と言っていたけど、あれは単に、自分より背が高くなるのを嫌がっただけ。自分を超えようとしている息子が怖くなったんだと思う」

息子が自分を乗り越えないように望むことは、その息子が社会に出て立派になることとは矛盾する。その上、父親は、営業職のサラリーマンで、50歳で肩たたきに遭ったという。大蔵官僚など、端から遠い世界の話だったのだ。

「結局父親は、僕が引きこもりになることを望んで、それに成功したのかなという気がするんです。最初は、見事に期待を裏切ってやった、ざまあみろと思っていたんですけど、あれ？ひょっとしてこれは、父の期待通りなのかなと。その時、さいとうクリニックにおられた医師に話したら『あ、そうですよ』って、あっさり。ハハハ！　家族システム論では、そういうふうに考えるらしいです」

歪んだ家族構造としては、典型的な心の動きだったらしい。

「自分の馬鹿さに腹が立つ。ざまあみろと喜んだのがバカだった。喜んでいたのは向こうだったんだ。かといって、すべての引きこもりが、親の願望を体現しているのかというと、それは一概には言えないと思います。でも、無言の期待を感じて引きこもりになるということは、あるかもしれない」

父親と寝た息子

そんな滝口の父子関係を、斎藤は「父親と寝た息子」と表現したらしい。その意味は長らく分からなかったが、ある日気づいたという。

「子どもの頃、日曜日のたびに、父の趣味だった大工仕事や庭仕事を手伝わされていたんです。夕方、仕事をを終える時に、父は『ご苦労であった』と言いました。最近になって、僕が3歳だった1965年、NHKで放送された大河ドラマ『太閤記』を観たら、本能寺に火の手が上がった時、『長年のご恩顧、誠にありがとうございました』と言う森蘭丸に、信長が『ご苦労であった』と言うシーンがあって、ギョッとしました。これかよ！　父は僕に、信長に対する森蘭丸のような存在であってほしかったのかと」

性関係こそなかったが、実際、父親は、滝口と話している時、間に母親が入ってくることをひどく嫌がっていたという。

「1992年に、『冬彦さん』で有名な、『ずっとあなたが好きだった』というテレビドラマがありましたよね？　あれが放送された時には、自分と関係のない話だと思っていたんです。でも、それから10年以上経って、ようやく気がついた。母親を父親に置き換えたら、まったく自分のことじゃないかと。何で気がつかなかったんだろうと思いましたね」

母親が息子を溺愛するあまり、息子の人生を支配してしまうというストーリーだ。

もっとも、滝口の父親は、自分の願望に自覚的だったわけではない。あくまで、息子の出世を望む父親でいるつもりであったはずだ。

父親の死後、実家に知らない女性が訪ねてきたという。父親は晩年、近所の地蔵に赤い前掛けをつけて回っていた。ある時、その女性が「ご主人がつけてくださっていたんですね」と声をかけると、父親は「自分は、息子に申し訳ないことをしたので、その償いにこんなことをしているんです」と答えたという。

「母がそのことを僕に伝えて、『お父さんはそう思っていたんだから許してあげなさい』と言ったんですよ。僕はそれを聞いて腹が立った。それって、死んだ僕に対する供養みたいなものでしょ？　父は、もう僕が死んだも同然だと思っていたわけだ。本当にすまないと思っていたのなら、これからまだまだ続く息子の人生のために何かしてくれよ。地蔵の前掛けつくってる場合かよ」

父親は見事なまでに自己完結していたのだろう。

だが、こうして自身の成育歴が立体的に見えたからといって強迫症状がなくなるわけではないようだ。16年経った今もミーティングに参加し、斎藤の面接を受け続けている。

「最近は、月に1回、20分間の面接を受けているんですけど、こっちが何か一言いうと、先生がダーッと話して10分経つ。『あれ？　あんた喋ってないね』って言われて、『だからぁ』と話すと、また先生が10分くらいダーッと喋って、ハイ終わり。先生が話すのは、日本の将来や少子化のことですね。この年末年始は、学者のエマニュエル・トッドの本をたくさん読まれたみたいで、そういう話をされます。まぁ、先生には何かお考えがあるのだろうと思って、我慢しているんですけど」

見事に病気とは関係のない話のようだ。しかも、今は保険診療ではないため、カウンセリング料金は以前よりもずっと高い。話を聞いてもらうのではなく聞かされるばかりなのに、斎藤のもとを離れずに通い続けるというのは、よほど厚い信頼関係があるのか。

「いや、いつも、もっとマシな医者はいないかと思っていますよ」

そんな滝口に、斎藤は成長ではなく現状維持を求めているようだ。

「『今さら就職もできないだろうし、今のままでいいんじゃないの？』って。それで、給料は出ないけどＪＵＳＴの仕事をしています」

殺さないための歯止め

滝口は、斎藤との関係をこう述べる。

「さいとうクリニックでも、自殺する患者が結構いたんですよ。斎藤先生は、『誰かが死ぬたびに、体の一部を持って行かれるような思いがする』とおっしゃる。そう言われると、『この人に、そういう思いをさせたくないな』と思うんですよ」

そう言えば、画家の和田佳子も、似たようなことを言っていた。ただ、その立ち位置は、人によって微妙に違うようだ。

「僕と先生とは、ジャン・ヴァルジャンとミリエル司教みたいなものだと思っているんです」

フランスの小説『レ・ミゼラブル』の主人公ジャン・ヴァルジャンは、泊めてもらった教会で、銀の食器を盗む。翌日、その食器を持っていることを警察官に怪しまれて、教会に連れ戻される。ところが、司教は警察官に、「その食器は私があげたものです」と言う。さらに「忘れものですよ」と、銀の燭台も渡すというエピソードがある。

滝口は言う。

「ジャン・ヴァルジャンが司教と過ごしたのは、その2日間だけですけど、その後の十数年間ずっと、その司教は、ジャン・ヴァルジャンの頭の中に棲み続けるんですよ。ジャン・ヴァルジャンは、人生に迷った時には、『あの人なら、どうしろとおっしゃるだろう？』と考える。斎藤先生を、僕にとって、そういう存在にしようかなと思っているんです」

そう言うと、滝口は携帯の画面を私に見せてきた。

「例えば、こんなのを入れているんです」

見ると、待ち受け画面が、キリッと正面を向いた斎藤の顔写真だ。私は、思わず「うわぁ」っと声を上げた。

「ハッハッハ！『そこまで好きなのあんた？』って言われますけどね。好きというより、自分を戒めるために入れてるんです。さっき言ったように、ジャン・ヴァルジャンとミリエル司教のような関係にしようと思っているんですけどね」

しようと思っているということは、そうではないとも受け取れる。

「まあ、難しいですよ。例えば先生は、人を殺さないための歯止めでもある。たとえ先生が亡くなられてもそうです。自分の中にいる先生が悲しむだろうから、そういうことはしない。これって、先生のうまい利用の仕方だと思うんですよ」

犬猫を殺していたのは随分昔の話だと思っていたが、殺意は残っているということだろうか。

「今でも、父親を生き返らせて殺したいと思っていますけどね」

すごい表現だ。本当に殺したかったのは父親だったということか。

「そうです。犬や猫じゃなかった」


ニュースでは、いつも「殺人犯になった人」の話が報道されるが、私は滝口を見て、「殺人犯にならなかった人」の人生を垣間見たような気がした。

それにしても、患者の心に棲み着く斎藤とは何だろう。患者たちの話を聞いていると、斎藤と深く関わった者は、皆そのような体になるようだ。

第9章

未来の自分を
連れてきた患者

アメリカのある州で心理療法士をしている椎名瞳（仮名）は、過去に斎藤の患者だった人だ。初診は、1996年。当時19歳だった椎名は、自分を殺すように食べ続けていた。安い食パンやあんドーナツを買い込んで貪り食べ、腹部が破裂しそうになるまで胃に詰め込む。体質のためか、苦しくても吐くことはできなかった。病院の救急科に行き、鼻からカテーテルを通して、胃の内容物を抜き出したこともあったという。

当時の自分を、椎名はこう振り返る。

「とにかく耐えがたい寂しさがあった。胸に穴が開いていて、その穴に風が吹いているような寂しさがあって、そこを埋めるように食べる。食べても食べても、お腹が空いている感覚があって、苦しくて動けないし、破裂しそうになって痛いんだけど、寂しいから食べるんです」

身長154㎝に対し、体重は90㎏に届きそうな勢いだった。しかも、そのファッションは、目の周りに白いアイシャドウを塗った奇妙なメイクに、大きなピンクのぬいぐるみを抱えていることもあった。その姿で街を歩けば、誰もがギョッとし、近づいては来なかったという。

そんな重度の過食症であった椎名だが、通院期間はたった2年弱だ。斎藤のもとで瞬く間に回復し、アメリカへ渡った。その後、国際結婚。臨床ソーシャルワーカーのライセンスを取得し、心理療法士として開業。現在は、アメリカに住んでいるさまざまなバックグラウンドの人に心理セラピーを行っている。

「ここがクリニックの訪問スペース。自宅の一部だけど、ドアは別なんですよ」

そう言って、Ｚｏｏｍの画面越しに室内を見せてくれる椎名は、アメリカの空気を纏った、スタイリッシュでハツラツとした女性だった。

通院期間が2年弱というのは、本書に登場する患者の中でもかなり短いほうだ。しかも、一度もぶり返すことなく暮らしているという。その違いはどこにあるのだろうか。

「私の場合、さいとうクリニックに辿り着くまでが、とても長くて苦しかったんです。吐きたくても吐けないからお相撲さんのように太り、自分では完全にお手上げ状態で、白旗を上げるしかなかった。だから、斎藤先生に会った時、言われたことは全部試そうと思った。彼の言うことに喰らいついたんです。もしも私が、少しでも日常生活を保てていたり、着られるサイズの服があったりしたら、たぶんもっと長くかかったと思う」

コントロールの病気

椎名は、中部地方の地方都市で会社経営をする両親のもとに、四人きょうだいの長女として生まれた。自宅は、広い庭付きの一軒家で、周囲が羨むような家族だったという。

だが、実際は、父親が躁うつ病を患っていた。椎名が1歳半の時に、父親は自宅で首をつり、自殺を試みている。そのことに気がついた母親が、すぐに包丁でロープを切ったため、一命はとりとめた。その後、投薬治療をすることで生活は取り戻したが、家庭内から緊張感が抜けることはなかったという。

そうした暮らしの中で、椎名は勉強が得意な優等生として育った。中高一貫の進学校に入学し、長女としての役割を忠実に担っていた。そんな椎名が、摂食障害の道に足を踏み入れたきっかけは、15歳で挑んだダイエットだった。

「高校生になったから、ダイエットをしても罰は当たらないだろうと思ったんです。それまではずっと、外見にこだわってはいけない、内面を磨きなさいと親に言われていたから。それを鵜呑みにしちゃって、中学生までは、綺麗になりたいと思うことは恥ずかしいことだと思っていた」

ちょうどこの頃、祖母が末期がんになり、長男の嫁である母親は、毎日泊まり込みでホスピスに付き添うようになった。その間、長女である椎名が、家族の食事とお弁当づくりを任された。

「そこからダイエットがエスカレートしたんです。食べる量を減らして、すべてのカロリーを暗記して計算するようになった。ものすごくたくさん歩いて、どんどん痩せていきました」

体重が減り、成績も上がった椎名は、この頃とても気分が良かったという。

「もう私の天下のようで、人生のすべてをコントロールできると思った。摂食障害ってコントロールの病気なんです。だから、その頃からおかしくなっていたんだと思う。コントロールができていると感じながらも、焦燥感がとても強くて、落ち着けず夜も眠れなかった」

しばらく経つと、椎名は判断力を失っている自分に気がついた。カロリー消費と食べ物のことしか考えられなくなり、学校へ行くことができなくなってしまったのだ。

「行く気は満々なんです。制服を着て、カバンを持って、靴を履いて、玄関から一歩踏み出すんだけど、片足が前に進められない。一歩進んで、また戻って、足踏みしちゃう。学校に行きたくても行けないんですよ」

自分がおかしくなっていることを自覚した椎名は、母親に電話をして、すぐに帰って来てもらった。以降、母親の運転する車で送り迎えをしてもらうことになったが、車に乗れても、学校の正門で引き返すか、下駄箱で止まって帰ってきてしまう。こうして、欠席が続くようになっていった。

「しかも、私はカロリー消費のために、一日中ずーっと立っているんです。痩せるという強迫観念のために、座ることができない。食べるものは、こんにゃくとリンゴとほうれん草と決めて、儀式のように毎日同じものだけを同じ時間に食べた。逆に、家族にはいろんなものをつくるんです。だいたい味が濃くてカロリーが高いもの」

椎名は、家族それぞれが何時に起きて、どのくらいの距離を歩くかを想定し、運動と食事の消費量を計算して、家族をコントロールしようと画策した。
「家族は変だと思いますよね。私がずっと立っていて、いつもイライラしていて、おどおどしながら食事を出すから。彼らが食べないって言うと、私は自分を否定されたようで絶望的な気分になった」

過食に転じる

どんどん痩せていく椎名に、さすがに周囲も精神的な病気を疑ったようだ。90年代初頭は、まだ拒食症という言葉が世の中に定着していなかった時代である。地方都市の精神科病院でも、診察できる医師はいなかった。そんな時、父親の友人経由で、ある大学病院に、日本で初めて摂食障害病棟ができたという情報が入ってきた。そこでは、摂食障害のための画期的な治療法を行っているという。両親と椎名は、藁にもすがる思いでその病院へ行き、3ヵ月間の入院をすることを決めたのだ。

だが、その実態はひどいものだった。屋上のフェンスには、患者が飛び降り自殺をした時に開いた穴がいくつもあり、椎名の入院中にも、同じ病棟で一人が亡くなった。16歳だった椎名は、精神状態がますます悪化し、摂食障害病棟から精神科の閉鎖病棟へと移された。強い向精神薬を飲まされ、副作用で唾液が止まらなくなり、危機を感じて母親に助けを求め、退院することになったのである。心に深い傷を負って実家に戻った椎名は、その時期が一番辛かったという。

「毎日苦しくて叫んでいました。5分後の自分も想像できないほど、未来が見えない。死のうと思って、引き出しにいっぱい溜めていた精神科の薬を飲んだんです」

すぐに両親に発見され、病院で胃洗浄をし、3日後に目が覚めた。そこから別の病院の閉鎖病棟に二度目の入院。しばらくして開放病棟に移ると、拒食症から、今度は過食症へと移行した。

「ピスタチオナッツの袋を持って、5粒と決めて食べていたら、1袋食べてしまったんですよ。成分表を見たら、700キロカロリーと書いてあってパニックに陥った。その頃は完璧主義で白黒思考しかなかったから、もうとことん失敗してやろうと思って、すごく食べたんです。それが始まり。でも体質なのか、努力しても吐けないんですよ。だから過食しても、1回も吐いたことはないんです」

入院中も、過食のために病院を抜け出しては、バスに乗ってスーパーマーケットを巡った。限界まで食べ歩きをしては自己嫌悪に陥り、最悪な気分で帰ってくる。退院してからもその生活は続き、今度は自ら望んで3度目の入院をした。

「高校は出席日数が足りなくて、2年生の時に中退しました。どこにも属さないということがすごく辛かった。とにかく地獄でしたよ。本当に辛くて、自分を罰するために自傷行為で食べるんです。自分を痛めつけたくて、髪の毛をハサミでジョキジョキ切って、不揃いな坊主になった」

18歳。美容を意識し始める年頃に、自らの手で醜い姿になったのだ。カロリー消費のために、相変わらず立ちっ放しで、ずっと足踏みをしていた。だが、そんな椎名を、母親は否定せずに受け入れていたという。

「母のすごいところは、自分が通っている美容院に連れて行ってくれたこと。理解のある美容師さんで、まだらな坊主頭を切り揃えて、綺麗な色に染めてくれたんですね」

さらに母親は、仕事場にも椎名を連れて行った。

「母は当時、起業してオフィスを構えていたけど、そこでも恥ずかしがらずに紹介してくれた。それって、ものすごく大きなことなんです。当時は知らなかったけど、私の生まれ育った街は、誰かが心を病んでも絶対に周囲に伝えない。隠すのが当たり前の空気だったんです。でも母は、私を隠さないで、ランチにも連れて行ってくれた。当時の母の強さには脱帽です」

体から溢れる脂肪

東京の上北沢に、摂食障害の自助グループがあると知ったのは、そんな頃だった。1987年に斎藤の立ち上げたNABAである。そこでは、同じ摂食障害を持つ女性たちがアパートの一室に集まり、自由に出入りしてミーティングを行っていた。数々の病院を渡り歩いても一向に良くならなかった椎名は、NABAに入って、初めて安らぎを得たという。

「仕事帰りの会社員や、パジャマで来る人とか、いろんなメンバーがいました。週に1回通うようになって、そこが私の居場所になったんです。病気になって初めて、私が居て良い場所ができたんですね」

ある時、斎藤による2泊3日のワークショップが行われることになり、椎名は母親と一緒に参加することにした。そこには、摂食障害で痩せた女性たちがたくさん集まっていた。

「摂食障害の人ってだいたい痩せているので、太っている私は珍しかった。まず、太っている人は、人前に出てこないんですよ。だから、そこでも私は周囲から非常に浮いていた」

ワークショップ2日目の晩、そうした状況が辛くなった椎名は、持っていた薬を全部飲みたい衝動に駆られた。それを相談したかったが、斎藤の周りには痩せた女性たちが群がっており、とても近づける状況ではなかったという。

「私は絶対に入っていけないと思った。そうしたら、母が背中を押してくれたんですね。それで一歩前に出ることができた」

椎名は、自分の名前を名乗り、薬をたくさん飲みたい旨を伝えた。すると斎藤は、用量を守って飲むことと、後日さいとうクリニックを予約するように言ったという。

「それが始まり。私、患者番号110とかだったから」

さいとうクリニックが開業してすぐ、ということだ。こうしてデイナイトケアへ通い始めて、2年弱でみるみる回復することになったのである。

初めは実家から通っていたが、すぐに都内にアパートを借りて引っ越した。

「私は元々、何かやろうと思ったら全力で向かっていくタイプだから」

それからは、さいとうクリニックに毎日入り浸り、夜になると他の患者と近くのファーストフード店に入ってお喋りをしたという。

「高校生の時には病気が始まっていたから、ソーシャルライフみたいなものを、病気の人と一緒に経験できたことは大きかった。面白かったですよ。いろんな病気の人がいて、年齢も、見かけもいろいろな人が集まっていたから」

当時は、患者の数も多く、デイナイトケアの4階にあるティールームは満員だった。廊下の喫煙所では、ヘビースモーカーの患者たちが、タバコをふかしていた。

「皆が絶望していて、死にそうで、街で会ったらギョッとするような人たちばかりだった。親しくなった人は二人くらい命を落としたし、なかなか修羅場でしたよ。だけど、そこだけが私が私自身でいられて、受け入れられていると感じる場所だった。自分の経験を話すことで整理することもできたし。ミーティングに参加して、いろんな人の話を聞いて斎藤先生の解釈を聞くということを毎日やって、命が救われた場所でしたね」

一方で、そうした中でも過食は続いていた。

「その頃は、クリニックのある麻布十番の街を歩きながら、食べて、食べてを繰り返していた。感覚としては、脂肪が体から溢れて、それを自分でかき集めないと自分がバラバラになってしまうような感覚。普通の寂しさではないんです。耐えがたい寂しさを抱えながら、一人でずーっと街を歩いていた。本当に辛くて地獄でした」

斎藤の面接には予約が必要だったが、椎名は飛び込みでの面接を何度もお願いした。秘書の山中に「辛いです」と伝えると、斎藤はどんなに忙しくても、その日のうちに診てくれたという。

「2時間、3時間と待つ日もあったけど必ず診てくれたし、3日連続とか、4日連続でも診てくれた。他の人に聞くと、斎藤先生には全然会えないという人もたくさんいるんですよ。精神科医は他にもいたから。私が診てもらえるということは、私には可能性があるかもしれないと思ったんです。それはすごく大きかった」

そんな斎藤の面接は、長い時もあれば、短い時もあり、熱心に聞いてくれる時もあれば、上の空でタバコを吸っていることもあったという。

「私の印象としては、斎藤先生はそのままの自分を見せていたんだと思います。不機嫌であれば不機嫌な態度を患者に見せるし、疲れている時は聞き流すような態度も見せていた。それくらい負担の多いことをやっていた。それを見て失礼だと受け取る人もいるから敵も多かった。だから、斎藤先生をすごく慕っている人たちと、嫌っている人たちがいたんです。でも、私には先生のやっていることが何となく分かったし、それが私には良かった」

蘇った記憶

椎名はミーティングにも毎日参加していた。そんな日々の中、椎名にある変化が起きる。他の患者がシェアしたエピソードに、自分の記憶が重なったのだ。それは、最初に入院した摂食障害病棟での体験だった。ここでは詳しく書けないが、椎名はこれに対し、初めて「被害を受けた」

という意識が芽生えたのだ。

「それまでは、自分を価値のない人間だと思っていたし、自分の意見を言うなんて考えたこともなかった。だいたいその時に何が起きているかを考える余裕も判断力もなかったんです」

16歳で拒食症を患い、自尊心を失った少女に、当時のその病院の関係者がしたことは、症状を悪化させるだけのひどい行為だった。ミーティングに参加するうちに、椎名は初めてその時自分がされたことの意味を理解したのである。

だが、それをストレートに斎藤に打ち明けることはできなかった。そこで椎名は、ある「やらかし」をしたという。一体何をしたのだろう。

「フフフ、恥ずかしいんですけどね。私、ミーティング中に倒れたんですよ。あれは完全に演技でした。自分からは言えないから、注目を集めて『どうしたの?』って聞いてほしかった。演技というのは悪い意味ではないんですよ。主張したいこと、見てほしいことが素直に言えないわけですね」

端から見たら、発作のような突然のアクシデントに見えたに違いない。だが、斎藤はそれを見抜いた。何と倒れた椎名をまたいで去って行ったというのだ。そうしたやり方では相手にしないという意思を示したのだろう。その後、斎藤は秘書の山中を通して椎名を呼び、面接で本当に言いたかったことが言える場を設けたという。

こうして椎名の話を聞いた斎藤は、そのエピソードについて「あなたは悪くない」と断言した。その問題を解決するために、何と3人の弁護士チームを付け、証拠のカルテを揃え、当時の関係者に対し訴訟を起こすことにしたのである。結果、謝罪と慰謝料をもらうことで決着がついた。

「それが終わったらね、私は憑き物が落ちたようにどんどん良くなったんです。自分は悪くなかったということを自分に証明できたことが本当に良かったし、それだけで良かったの。あの病院に入ったことで、どんどん症状が悪くなったから。その出来事さえなければ、摂食障害は思春期によくあることとして終わっていたと思う」

訴訟を起こすということは、精神科医としての仕事をはるかに超えているように感じる。しかし、それも治療の一環だったと椎名は断言する。

「先生はトラウマ治療のためにやったんですよ。過去のトラウマを乗り越えるにおいて、当時の状況と自分の対応を理解して受け入れることは大事なステップになり得ます。私にとって、非が相手にあったということを、自分にも他者にも示すために訴訟のプロセスが必要だった」

決着がついたその年の4月、椎名はクリニックで仲良くなった患者とアメリカ旅行に行った。そこで、アメリカの大学へ行くことを決意する。高校を中退しているので、3週間後の大学入学資格検定（大検）を受けるため猛勉強し、全科目に合格。アメリカで日本の大検資格を認めてくれる大学を探し、そのうちの一校へ願書を出した。

「その時もまだ、すごい量の安定剤と睡眠薬は飲んでいたんです。それで、これは絶対にやってはいけないことだけど、私は独断で全部止めたんですよ。すごく辛くて、体内バランスが崩れるから1週間くらいずっとソファで横になるくらいしかできなかったけど、荒療治で断薬して2ヵ月後に渡米した。私を知っている人が一人もいないところに行って、まっさらな状態から始めたいと思ったんです」

1999年、20歳で渡米した椎名は、以来ずっとアメリカで暮らしている。ある大学で心理学を学んだ後、他の州の大学に編入し、心理学の学士課程と修士課程を修了した。精神保健局で研究者として勤務後、社会福祉学の修士課程も修了し、臨床ソーシャルワーカーのライセンスを取得。公認心理療法士として働いている。治療を終えてから、ものすごいスピードで人生が前に進んでいったのだ。

未来の自分と会う

そんな椎名の未来は、何と面接の中ですでに予言されていたらしい。通院していた頃、ある日のミーティングで、斎藤はみんなに向かってこう言ったという。

「自分の未来像を描いて、その人を面接に連れてきなさい」

椎名は、当時をこう振り返る。

「あまりにもおかしなことを言うから、私も周りも『また先生が変なこと言ってる』って思う程度だったんですよね」

だが、何でもやろうと決めていた椎名は、すかさず反応した。椎名が「やります」と言うと、斎藤は「なら未来の自分を連れておいで」と言った。もっとも、この頃は自分の未来などとうてい描けない状態だったという。

「自分に未来はないと思っていたんですよ。唯一の願いは、いつか学校に戻りたいということ。だけど、絶対に無理だと思っていたんです。母からは『いつか桜が咲くよ』なんて言われていたけど、私には慰めにしか聞こえなかった」

それでも椎名は、斎藤の言う通りにした。実家に帰ったある日、家の傍を流れる川のほとりで未来の自分に会い、彼女の手を引いて一緒に面接にやってきたのである。

これには斎藤も、内心は驚いたようだ。だが、平静を装って、椎名の隣に「未来の椎名」を座らせた。もちろん、そこは空席だ。

この時のことを、斎藤はこう解説する。

「連れてきたことを当たり前みたいにして、2号用紙をテーブルに置いたの。『私には見えないんだよね』と言って、質問するから答えを書くように言った。彼女がペンを持って、未来の彼女が手を動かすという設定。こっくりさんと同じですね。私の小さい頃は、みんなこっくりさんをやっていて、女の子たちがトランスに入っている様子を見ていたから。その真似ですよ」

ちなみに、このやり方は斎藤の思いつきだという。

未来の椎名に、斎藤が「髪の色は?」「どんな髪型?」などと質問し、絵を描いてもらう。こうして、未来の椎名が現在何をしているかを聞き出していくのだ。

椎名は言う。

「本当に未来の自分を見たわけじゃないですよ。斎藤先生がガイドしたんです。私はそれを真に受けて、頑張って想像しただけ」

椎名は、日を分けて、26歳の自分と34歳の自分を連れてきた。

「26歳の私は、アメリカにいて、夏休みに日本へ帰国していた。茶色い髪に緩くウェーブのかかった私が、川べりの木にもたれかかって座っている絵を描いた。34歳の私は、ある州の大学で医学部に通っている姿を描いたんです」

その出来事は、長い間すっかり忘れていたという。月日が経って、26歳になり、アメリカの大学に通っていた椎名は、ハッと気がついた。帰国して、実家の近くの川を散歩していたのである。

「えっ! と思った。そんなことあるわけない。でも思い出してみたら同じだった。分かった時は、狐につままれたようでしたね」

椎名はそのことを斎藤に報告するため、当時行われていたオープンカウンセリングに参加した。すると斎藤は、見た目の様変わりした椎名を見て、誰だか認識できないほどだったという。

その後、現実の椎名が34歳になると、ある州の大学で心理学の勉強をしていた。医学部ではないけれど、目指した仕事としてはほぼ同じだ。驚くのは、椎名がその大学のある土地へ行ったのはまったくの偶然で、本当はそこから電車で1時間ほど離れた街に行ったが性に合わず、流れ着いたということだった。

トランスに入らせる

斎藤は、この時の治療をこう語る。

「ここに来る人達は、雪道にはまった車みたいにスタックしている状態なんですよ。車から離れて雪が解けるのを待てばいいのに、みんな車にこだわる。これまでの生活を一度降りて、先のことを考えたほうが早いんじゃない？　っていう提案なんです。だけど、それを言っただけでは動かないと思ったから、計画的にやったんです。まぁ、一種のトランス状態下で行うものですね。

彼女にはそう言っていないから、気がついていないけどね」

何と、椎名は知らない間にトランスに入らされていたようだ。

「ある程度、意識変容を起こして、状況を受け入れやすくするんです。『あなたは未来の自分に出会うんだ』と断言する。そしたら翌週に『会った』と言ってきたから、『また翌週も会ってきてね』と言った。年を取って経験の積み重ねが大きい人には難しいんだけどね」

若い椎名には効きやすかったということか。しかも斎藤は、この「トランス状態」を、ミーティングの場でも頻繁に使っているという。

「みなさんとこうやって普通に喋っているけど、私の語りの中では、あるところから集団全体がトランスに入るような喋り方もするわけです。と言っても、『これから軽い催眠状態にしますね』とか断りを入れたら、みんな一所懸命になってかからない人も出てくるから、言わないですよ」

ひょっとすると、ミーティング中に、斎藤の言った言葉が記憶に残せないという現象が起きるのも、聴衆がトランスに入っているからなのかもしれない。私は頭が混乱し、この時はそれ以上聞けなかった。

一方の椎名は、この経験を元に、現在同じ手法を使ってセラピーを行っているという。

「パンデミック後に開業したので、クライアントさんとはＺｏｏｍでのやりとりが多いんです。

だから絵を描かせるわけではないけど、すごく具体的に未来を思い浮かべてもらう。例えば、どんな服を着ているとか、どんなところに住んでいるとか、光の当たり方はどんなだとか。私が絵で描いたようなことを、口頭でやっています。面白いですよ」

椎名は今、心理療法士として斎藤と同じ立場にいる。プロからすると、斎藤はどのように見えているのだろう。

「先生の一番ユニークなところは、さいとうクリニックをつくったところですよね。アメリカに来てからいろんな専門家に聞いたけど、ああいうものはアメリカ中どこにもないと言われた。だから私も、本当はアメリカでさいとうクリニックのようなものをつくりたいと思っていたんです。でも結局、それほどの情熱はなかった。私は子育ても楽しみたいし、今の仕事は好きだからやっているので」

確かに、プライベートを大切にしようと思ったら、とても斎藤のような働き方はできない。自他ともに認めるワーカホリックなうえ、多くの患者にとって重要な存在だ。そのエネルギーがどこから出てくるのか不思議なほどである。

「先生は、あの情熱ですよね。患者と一緒になって戦っている。人生をそこに捧げているわけでしょう。そこが私との大きな違い。きっと大きな理由があるんでしょうね。たぶん、何かあったんじゃないですか。この業界に身を沈ませているわけですから」

その言葉にハッとした。斎藤の人生には、治療に人生を捧げるような、大きな出来事があったのだろうか？　そう思うと同時に、聞いてみたところで、とても答えてもらえるようには思えないのだった。

第10章

幸せ家族のスケープゴート

永田剛は、通院歴26年になる元引きこもりだ。その風貌は、Tシャツ越しでも分かるほど鍛えられた胸筋に、無駄な脂肪のない日焼けした体。精神科の患者というよりボクサーのようだ。斎藤からは、「宅間守（無差別殺傷犯）と同じ引き出しに入っている」とも言われたことがあるという。

そんな永田は、ここ最近、街中でよく乱闘事件を起こしていた。といっても、誰かれ構わず喧嘩を吹っかけているわけではない。周囲に迷惑をかけている人を見ると、黙っていられないのだという。

「電車の中でどさくさに紛れてぶつかってきたりする人がいると、変な正義感が湧いて、悪を暴いてやるみたいな気持ちでキレてしまうんですよ。サラリーマンは綺麗なスーツを着て、ちゃんとした体を保っているけど、その倫理観はどうなんだ！　みたいに」

ある時は、ラガーマンのようなガタイのいい男が、狭い歩道の真ん中を歩いていたことに怒りが湧いた。周りの人が萎縮して避けていくのを、当たり前のように思っているからだ。永田はそこで、あえて避けずに歩いて行くので、すれ違いざまに肩がぶつかる。相手がカッとなって先に手を出してくれれば、永田もそれに応えトラブルになるといった具合だ。

だが、永田は筋トレで体を鍛えていても、喧嘩は弱かった。ファイティングポーズをとるものの、たいていは自分がやられてしまう。それでも強気で向かっていくので、過去には、相手にヘッドロックをかけて、流血させてしまうこともあったという。

そんな永田の現状を、斎藤は懸念していた。

「許しがたい相手と格闘するなんて二度としないでもらいたい。ましてそこで被害者なんか出したくないでしょ。彼の思う正義感そのものが非常に危険なもので、場合によっては凶悪事件の犯人にもなりかねない部分がある。私は、世間を騒がすような事件って、だいたいこの手の人から出ていると思うんですよ。安倍元首相の銃撃事件もそうだし、秋葉原の無差別殺傷事件もね」

もっとも永田は、根が荒くれ者というわけではない。メンタリティは、今も多分に引きこもりの要素を残している。そのことが余計に、重大事件を起こす犯人と似通っているようでもあった。

ワンセンテンスが喋れない

永田が、初めてさいとうクリニックを訪れたのは、1997年。29歳の時だ。当時のさいとうミーティングは、立ち見が出るほど大盛況で、おおぜいの前でシェアすることに躊躇する患者も多かったという。そんな彼らに向かって、斎藤は言った。

「君たちさ、せっかくここに来たんでしょ。何で聞くだけなの？　自分から私の前に座りなさいよ。喋らないと治らないよ」

だが、その頃の永田は、建物の中に入るだけで精一杯だった。ミーティングを見た後はすぐに外へ飛び出し、公園のベンチでジッと鳩を眺める。まともに人と話すことはできなかった。

意を決してシェアする側に回ったのは、デイナイトケアに通うようになって8ヵ月が過ぎた頃。正面の椅子に座った永田は、自分のことを話そうと口を開いた。だが、言葉が出てこない。

「あの、永田と言います……ごめんなさい。えっと、……すみません」

喋ろうとすると、あまりの焦燥感に体が固まり、頭が真っ白になってしまう。そのためワンセンテンスをも喋り切ることができないのだ。永田は大汗をかきながら、一所懸命話そうとして、そのたびに謝った。

「……ごめんなさい、……ごめんなさい。すみません」

その異様な光景に、聴衆がざわめく。制限時間の5分が過ぎると、永田はハッとして我に返り、結局ひたすら謝っただけで後ろの席へと戻ってしまった。

本来であれば、すぐに次の人へ移るはずだが、始まる様子はない。周囲は相変わらずざわついている。妙な空気を感じて、永田がふっと顔を上げると、大粒の涙を流す斎藤の姿が見えたという。

「悪いけど、今日はこれ以上ミーティングはできません」

斎藤は、そう言って部屋から出て行ってしまったのだ。

永田は、こう振り返る。

「僕のあまりに悲惨な状態に感じるものがあったのか、先生は涙を拭きながら帰っていったのね。ミーティングを途中で止めるなんて、前代未聞だったと思う。先生は弱者に対する共感とか、社会構造に対しての怒りとかをすごく持っているんですよね」

そこから長い治療関係が始まった。

「先生からは、『とにかくあなたの場合は喋りなさい。自分の言葉を見つけるために喋りなさい』って言われた。その後、僕はミーティングの場で話すことを続けてきました」

それから約26年。今の永田は、ペラペラとよく喋る。長らく生活保護で暮らしているが、親元から離れたことは精神的にも良かったようだ。それでも、いまだ社会に出ることは難しいようである。

禁じられた感情

永田は、大企業で原子力の研究をする父親と、専業主婦の母親のもとに生まれた。三人きょうだいの長男で、姉と弟がいる。一見するとごく普通の家族だが、母親は昔から永田にだけ、当たりが強かったという。

「何グズグズしてるの」「ああもう早くしなさい」「さっさと食べなさい」「背中！　また曲がってるよ。まっすぐ」「ほら！　顔を上げて、顔を！」

それが母親の口癖だ。そして、永田の行動をことごとく否定した。

「わざとらしい」「格好つけちゃって」「調子に乗っちゃって」「気を引こうとしちゃって」「できもしないくせに」「偉そうに」

永田は言う。

「子どもって美味しいものを飲むと、『ッハー』とか声が出るじゃないですか。それも母には許せなかった。すぐ、『いやらしい！』って」

母親とのコミュニケーションは、一方的な指示や禁止、命令ばかりだった。しかし、長男としての期待も大きかったという。

「母親に手を引かれて歩いていた頃から、『パパみたいに良い大学に入りなさい。大学に入ったらあなたの人生が始まるから、それまではママの言うことを聞きなさい。そうしないと罰が当たって、ママとパパのような幸せな家庭は築けないからね』と。それが幼い頃の最初の記憶。言うことを聞かせるために、『あんたが嘘をついてもママには分かるのよ』『そもそも、あんたが何を考えているかなんてすべて分かる。あんたはロクなことを考えていないんだから』っていつも言われていた」

気づくと永田は、自分が思ったり感じたりすることを自分に禁じるようになっていた。

一方の父親は、一喝するタイプだった。鼻をすすれば「ちゃんとかまんか！」、口を開けっ放しにすると「アホみたいに口を開けるな！」。食卓では、煮豆が転がっただけで怒号が飛び、凄まじい緊張感の中で食事をしていたという。

「父は本当に怖かったですね。怖くて顔が見られないんだけど、顔を伏せることも許されない。だから見るフリをするんです。心情的には、昔の天皇への拝謁（はいえつ）みたいに、御簾（みす）がかけられていて直視するのが憚られる感じだった」

「怖い」という感情を出せば、母親によって罰せられる。永田は、幼い頃から、できているフリをすることで精一杯だったという。

小学校に入学すると、永田はクラスメイトが自由にお喋りしている姿を見て愕然とした。

「僕には、何でそんなことができるのかが分からなかった」

自由な感情を禁じられたために、コミュニケーションがまったくできなかったのだ。

中学校に入学したのは、１９８０年代初頭。校内暴力がもっとも激しかった時代だ。永田の通う中学校は、教室の窓ガラスが割られ、廊下をバイクが走り、釘打ちしたバットを持って他校を襲撃する生徒がいるほど荒れていた。永田は誰とも喋らず、毎日下校時間が来るまでずっと机に突っ伏していたが、「リンチするから裏に来い」と不良に呼ばれることもあり、恐怖に怯えて過ごしたという。

「だけど、心配をかけたくないから不登校もできなかった。うちは明るくて幸せで、何の問題もない家庭でしょって母に言われていたし、ちょっとでもふさぎ込むと『白い歯見せなさい』って怒られていたから。帰宅して玄関を開けると、母親に7割、近所に3割聞こえる声で、元気良く『ただいまー!』って言うことを自分に課していたの」

何も言われなくとも、幸せ家族を演じる一員になっていた。そして、自室に入ると、今度はひたすら勉強をするフリが始まる。

「間が持たないから、とにかくペンで単語を書く。覚えるためじゃなくて、インクを減らす動作。母親が僕を監視しているから、その姿を見て『感心、感心』って思うでしょ。でも勉強じゃないよね」

この頃になると、フリ以外のことをする余力もなくなっていた。

フリしかできない

こうして18歳になった永田は、勉強がまったくできないまま、大学入試を受けることになる。母親が、高い学歴を望んでいたからだ。だが、ストレスのあまり文字も読めない状態になっていたという。

「試験場が大ホールだったのね。『じゃあ、始め』って言われて、バッと開いて読もうとするんだけど、読めない。周りの人たちのページをめくる音が次々と聞こえてきて、それですごく焦っちゃう。誰にも見られていないのに、『僕は読んでます』って表明するために、めくる、戻す、を繰り返す。そのうち、みんなは記入を始めるわけ。僕はそれができず音が発せない。これはマズイと思って、とにかく音を立てなきゃと。みんなは書いている音だけど、僕は単にキツツキみたいに鉛筆で紙を叩いているだけ。そのうち他の人と音質が違うことに気づいて、これはバレると思った。慌てて考えたのが名前を書くこと。解答を間違えたっていう体で名前を消せば、そこに書き込むことができるから」

冗談のような話だが、永田は死に物狂いで、試験を受けるフリをしていたのだ。

その後、もちろん大学には落ち、さすがに自分がおかしいと感じた永田は、東京のカウンセリングルームに通うようになった。しかし、そのためには電車に乗らなくてはならない。永田は、他の乗客の目が気になって、とても平常心ではいられなかったという。

「みんなと同じフリをするために本を読むんだけど、まったく読めない。それも、気の利いた本じゃないといけないと思ってしまうから、英字の本を読むフリをする。そしたらある時、向かいの席にドイツ語の本を読んでいる人がいたのね。英語じゃしょぼいんだと思って、今度は江戸時代の古文書が印刷された本を持ってきて読むフリをするようになった。これなら誰も読んでいないだろうみたいな。どんどん自意識過剰になって、すごく複雑でアホなことをやっていたわけ」

人より優れていなくてはいけないという思い込みは、母親の目線を内面化したものだったようだ。こうして、永田の半生は、すべて「フリ」で占められていた。

だが、浪人生活が3年間続くと、さすがの母親も大学進学は諦めざるをえないと気づいたらしい。世間体を気にする母親は、「青年海外協力隊へ行け」「アメリカへ留学しろ」などと焚きつけたが、いずれも無謀なことだった。

その後、24歳になった永田は、苦肉の策で写真の専門学校へ入学することになる。だが、対人恐怖がひどく、1週間もしないうちに学校の暗室に隠れたまま出てこられなくなってしまった。

次に、財団法人へ就職したが、やはり人と会話はできなかった。電話を取っても受け答えができず、パニックになって通話の途中でガチャンと切ってしまう。3日目の朝、気づくと仕事先ではなく、なぜか新幹線に乗っていたという。

「記憶がないんだけど、見たら新大阪行きの切符を持っているの。後に斎藤先生からは、解離性遁走だと言われました」

そんな永田が、母親には耐えがたかったようだ。ことあるごとに、「お姉ちゃんも、おばあちゃんも、あんたを外に捨てろって言ってるのよ」と言って脅した。まるで、永田だけが家族の膿であるかのような扱いだったが、実際のところ、最初から幸せ家族ではなかったと言う。

「父と母は、ルールに則ったやりとりはあるけれど、共感したり、楽しい会話というのはゼロに近い。こんなに合わないのに、どうしてお見合い結婚したんだろうと思うけど、たぶん母親は相手が誰であってもNOと言えなかったと思うのね。子どもを産む数だって父親の計画だったろうし。だって、母は父に何も言えないんだもん」

両親の上下関係がハッキリしているうえ、父親の所作は非の打ち所がなかったという。まるで能楽のように、足音を立てずに廊下を歩き、ドアノブも静かに回す。マーガリンをすくう時は、乱れなく一直線に削る。その完璧さを家族にも強いていたというのだ。

「父が横暴ならまだしも、何でもキッチリこなして有無を言わせないところがあった。それを考えると、母親に余裕がなくて、全部僕にぶつけたというのは何となく想像がつくのね。とにかく母親自身が、白い歯を見せて、明るくて何も問題のない家庭だと思うことで心を保っていた人だったから」

永田を叱っている限り、母親は自分の不完全さから目を逸らすことができたのだろう。だが、その捌け口となったのは永田だけで、姉と弟に向けられることはなかったという。

「斎藤先生は、スケープゴートって言うけど、まさにそれ。人間ってどこで学ぶのか、子ども全員をいじめると子どもたちで徒党を組むけど、僕だけをいじめていると、姉と弟も『また兄ちゃんがおかしい』ってなる。一人だけ差別することで、家族の均衡が保たれていたのね」

もっとも、冷静に分析できるようになったのは、クリニックに来てからのことだ。それ以前の永田は、母親の言うことを真に受け、怯えてばかりいたという。

ホームレスになる準備

27歳。まともに仕事にも就けず、いつか家を追い出されると思った永田は、生まれて初めて父親と向き合うことを決意した。それまで、父親は恐ろしく、いつも母親の向こう側にいたため、直接話せる存在ではなかったという。

「母親が寝た後、父は朝日新聞を隅から隅まで読むという習慣があったのね。父は、新聞をめくる音をまったく立てない。端をそっとつまんで、引き上げて、頂上までいったところでパッと離す。で、スーッと落ちていく。それを知っていたから、新聞を読んでいることを確認して、とにかく何か言わなきゃと思った」

だが、階段を下りてリビングに行くと、怖くて父親の前を通り過ぎてしまう。キッチンで牛乳を飲み、また戻るということを20日間も繰り返した。そして、ついに永田は父親の隣に座った。父親は何も言わずに、チラリと永田を見たという。

「何か言わなきゃと思って、『こんなことになってごめんなさい』と言ったの。てっきり『出て行け！』って怒鳴られると思っていたのに、父親は『お前な、朝だけはちゃんと起きてこいよ』って」

父親はその一言だけ言うと、また新聞に目を落としたという。永田は、当時のことを思い出したのか、語りながら涙で言葉を詰まらせた。

以降、毎日、5分から10分、父親の横に座るようになったという。すると、父親はぽつりぽつりと語り始めた。

「ワシもな、たまたま研究するのが好きで、今の勤め先にも雇ってもらえたけど、そうじゃなかったらお前みたいになっとったかもしれんな」「ワシが勤めている限りは、お前のことを養っていける。勤めを辞めたら、二人で赤帽をやってもいいし、カウンター数席のとんかつ屋をやるのもええんちゃうか」

母親と違い、父親は等身大の永田を見ていたのだ。

その後、永田は父親の理解のもと、2年間家に引きこもった。ただ、それでもいずれ家から追い出される覚悟はしていたという。

「斎藤先生と会う前は、僕は絶対にホームレスになると思っていたから、真冬でも自室の窓を全部開けて寒風の中で寝て、その準備をしていたのね」

そんなある日、自室で寝ていると、襖(ふすま)にスッと何かが差しはさまれる音がした。見ると、父親らしき人影がある。手を離すとそれはストンと下に落ち、人影はいなくなった。

それは、朝日新聞の切り抜きだった。当時、斎藤が関わっていたJACAを取材した記事で、引きこもりや社会不適応な人の集まる自助グループとして紹介されていたのだ。父親は何も語らなかったが、永田を心配していたのだろう。

勇気を出して記事にある電話番号にかけてみると、「毎週金曜日にビギナーズミーティングがあるので、それに来てください」と言う。場所は、当時京王線の八幡山にあったJACAハウスだ。そこでは、似たような問題を抱える人々が集まり、ミーティングを開いていた。ここで永田は、「あなたは絶対に斎藤先生に診てもらったほうがいい」と周囲にプッシュされたのである。

こうして、永田はさいとうクリニックに辿り着いた。ただ、デイナイトケアに通うハードルは高かったようだ。

「入口にホワイトボードがあって、今日のスケジュールが書いてあるんだけど、読まなきゃと思うのに読めないのね。周りの人の視線が気になるし、だからってあんまり停滞すると不自然だから、読んだことにして前に進もうとするけど、読んでいないからどこに行ったらいいのか分からない。そこでも、フリしかできなかった」

スタッフは、患者を通いやすくするため積極的に声をかけていたが、永田には逆効果だったようだ。

「スタッフさんが、『みなさんは人間関係で傷ついてこられた方たちだから、ここのメンバーさん同士で癒していきましょう』とか、怖いこと言うわけ。もう、息が止まる思いで、あぁ僕は絶対にダメだと思った」

だが、そんな永田の特性を、斎藤だけは正確に見抜いたようだ。

「先生からは、『永田君は、人といちゃいけない。一人でいなさい。引きこもらないように、とにかく玄関を出てここに来て。受付だけ済ませて帰ってもいいから』と。それは、本当に救われる言葉だった」

こうして、もっともハードルの低いところから通院をスタートしたのである。その後、冒頭のようにミーティングに出て喋り続けるようになったが、他の患者と雑談をするまでには至らなかったようだ。ミーティングを終えると、まっすぐ家に帰るか、時間をつぶすために一人で街を徘徊した。

人生初の主体性

そんなある日、一人の女性患者が、永田に声をかけてくるようになった。

「僕はそのたびに汗をかいて、逃げるようにして帰るというのを繰り返していたけど、そのうち手紙を渡されるようになって、『一緒に帰りませんか』と言われたの。いや無理、帰れないですって。バス停まで一緒に行くことも無理だと思ったけど、断るのも変だし」

こうして同じバスに乗った永田は、バラバラの席に座ることで、その女性と帰ることになった。終点の渋谷駅に着き、永田が先に降りようとすると後方から物音がする。振り返ると、彼女は後部座席の通路で気を失って倒れていた。さすがに介抱しなければならず、これを機に二人の距離は縮まり交際するようになったという。だが、彼女にはとんでもない窃盗癖があったのだ。

「デート中、レジを通っていないはずなのに、気づくと商品を手に持っているのね。『あれ、それ買ったの？』って聞くと、『う～ん』みたいな返事で」

明らかに万引きだったが、永田にそれを咎めることはできなかった。

「そうした時に、僕はどういう行動を取るかというと、彼女が盗む時に、なるべく危険にならないよう壁になってあげるの」

その優しさは仇となり、万引きはどんどんエスカレートしていった。

「彼女の盗み方は尋常じゃなくて、他の客がいる横で、棚からガーッと落としてバッグに入れる。普通はコソコソとやるものだろうにその逆だから、周りも唖然としてるの。捕まっても、彼女は偉そうな態度で、僕は横で小さくなっている感じで」

そうこうしているうちに、窃盗癖は永田にも伝染した。一度盗ると、もう一度。週に1回が、3日に一度。どんどんエスカレートしていったのである。

「そしたら、彼女以上に火がついちゃった。これまで抑えていた感情とか衝動とか欲求が噴き出すような感じで。量も半端じゃなくて、手ぶらで店に行って、まずカバンを盗んで、その中に盗ったものを入れるみたいな」

こうした窃盗についても、永田はミーティングでシェアした。すると、斎藤は言った。

「いやー、永田君いいね！　初めて主体的な行動を見せたね」

何と、褒めたのである。

「僕は盗み方がとても大胆かつ丁寧で個性的だったから、それも先生に喜んでもらえました」

これまでを考えれば、一つの成長だったのだろう。だが、それも最初だけだったようだ。しばらくすると斎藤は手のひらを返し、ぴしゃりと言った。

「いい加減にしないと、あんたヤバくなるよ。私はもう診たくもないし、あんたがどうなっても知らないよ」

斎藤の想像をはるかに超える勢いで、永田の窃盗はエスカレートしていたようだ。彼女とバドミントンをやろうとなったらラケットを盗む。絆創膏が必要になったら、各メーカーの絆創膏を全部盗む。シャンプーやリンスは、個人で使う量をはるかに超えた数を盗み、ほしくないものまで盗ってくるようになっていた。

「過食症の人が胃袋に詰め込むみたいに、部屋の中に盗品がどんどん溜まっていったの」

完全にアディクションである。万引きに夢中になるあまり、クリニックからも足が遠のき始めた。しかし、そんな日々が続くはずもない。永田は、御殿場のアウトレットで万引きしているところを警察に捕まり、さらに執行猶予中にまた逮捕されて留置所に入った。彼女との関係も、この頃には破綻していた。

さすがの父親も、これには慌てたようだ。救いを求めて、初めて斎藤のもとへと相談に行ったのである。

「だけど、先生はあの感じで不愛想でしょう。父親はたぶん丁寧にしゃちほこばって行ったんだと思う。想像できるのね。息子がお世話になっていますとか、どうにかできないものですか、とか。そしたら先生が『いや、いいんですよ。もうあの子は警察に任せて、そのまま刑務所に入ってもらったほうがいいんじゃないですか』みたいなことを言ったみたいで」

まさかそんなことを言われると思わなかった父親は、留置所に拘留されていた永田宛ての手紙に、珍しく感情的な一文を書いてきたという。

「『お前が信じている斎藤某とかいうドクターだか何だか知らんが、あまりに失礼だ』みたいに書いてあって、父親がそこまで怒るなんて珍しいなと思った」

情緒的コミュニケーションのなかった父親が、素の感情を見せたのは、斎藤の手腕なのかもしれない。こうして拘留されていた間に、父親と12通に及ぶ往復書簡をやりとりしたという。

その後、実刑を逃れた永田は、再びミーティングに参加するようになった。他のメンバーが、地に足のついた生活をしている姿を見て、窃盗癖はピタリと止んだという。

しかし、アディクションというものは中身を変えて続くものなのか。永田は障害者雇用で資料整理をする仕事を始めたが、それと同時に、過剰な筋トレを始めたという。

「仕事へ行く前に、3時間早く起きて、最初は180回のスクワットから始めた。限界までやることに決めていたから、最終的には600回やってからじゃないと出かけられなくなって、それを毎日やっていました。完全に、強迫行為ですね」

それだけの努力ができるなら、就ける仕事もたくさんありそうなものだが、どうにも永田には難しいようだった。障害者雇用の仕事は、誰とも喋らない一人作業だったが、通勤電車で人の気を浴びてしまい、9年間続けたところでギブアップした。最後のほうは顔がやつれ、廃人のようになっていたという。

人間は余計なことをする

そんな永田の特性について、斎藤はこう語る。

「病気ってなんで起こるかと言えば、10人中9人は、本物のうつ病じゃないんだよ。本物のうつ病であれば、薬が効くからすぐに来なくなっちゃう。私のところに残っている人は、ここでしか生きられないような人。今の永田君もそうだけど、要するに徹底的に生活力がない。彼は障害者枠で、役に立たなくなった文書を綴じる仕事を9年間やっていたし、そういうことだったらできる。だけど、与えられている分野の仕事を、誰かに割り振ってやらせるとか、そういうことはできない。私は、それができないってことの意味が理解できないものだから、本当は永田君のどこがおかしいのかよく分かっていないいんだよ」

今の永田はよく喋るが、本人は「僕はまともなコミュニケーションは取れない」と言う。ここ最近は、毎日のようにＪＵＳＴの部屋にやってきているが、こうして他の患者と交流を持つようになったのも、26年間の通院歴の中で、何と２０２３年に入ってから初めてのことだった。

斎藤は冗談混じりに、永田をこう評する。

「だいたいあんなに無能なのに生きていられるって、それ自体が才能だろう」

確かに永田には、無駄なプライドのようなものは感じられない。ただそこで生きる、ということに集中しているようにも見える。

では、永田自身は、今後の生き方についてどう考えているのだろう。

「人間は余計なことをすると僕は思っているんですよ。だから僕の場合は、とにかく何もしない。努力しないことも含めて何もしないほうが大事だし、幸せなんじゃないかと思うんです」

何だか哲学的な話だ。

「僕の母親は、自分が勉強したこともないし、大学に行ったこともないし、働いたこともないし、人付き合いもちゃんとできない。それなのに、『友達をちゃんとつくりなさい』『大学へ行きなさい』『勉強しなさい』『立派に働きなさい』、それだけをずっと言い続けていた。それ自体が目的化しちゃって、本質に向かわない。僕の感覚から言うと、それが余計なことなんです。そもそも、僕自身が自分のしたいようになんてできた試しがない。母の言葉に囚われて、それに応えようとしたり、打ち勝とうとしたり、無駄なことばかりしてきた自覚と後悔がある」

永田の母親は、理想の家庭をつくることに必死だった。永田が本を読もうとすると叱り、クラシック音楽に興味を持つと怒り、まったく向いていない野球や水泳ばかりさせようとしていた。

「男の子は外で遊ぶもの」というのが母親の言い分だ。

「家族でどこかへ食べに行っても、僕はいつも周りを見て、いかに幸せかということを演じなきゃいけなかった。怖いですよ。何も問題ないかのように見せて虐待しまくっているんだから」

その結果が、今である。だが、それにしても永田は退屈しないのだろうか。私だったら、仕事がない毎日など、暇過ぎておかしくなりそうだ。そう聞くと、永田はしばし考えてこう言った。

「シンプルに答えると、退屈はしていないです。今やっているのは、朝起きたらちゃんと深呼吸することと、顎を使うものを食べることと、睡眠をしっかりとること。他に優先順位が高いのは自炊。今はそれしかできない。後はもうオマケ。世の中を見たら羨ましいことはいっぱいある。もっといろんなもの表現したり、味わえたりしたらいいけど、僕は本当にできないの。空を見上げて『青いかな?』と思っても、『青いということを意識し過ぎだ、これは感じていない』とか考えて疲れて見られなくなってしまう。そんなことばかりだから、せめて退屈を感じられるくらいの人間にはなりたいという気持ちはあるかもしれない」

永田は、人間らしく生きることで精一杯のようだった。毎週ミーティングに参加しているが、一人だけ話す内容に変化はない。他の患者は、職場や恋愛や家族など、人間関係の悩みが大半だが、永田には、そうした人間関係が外にないのだ。

「僕は人とのつながりがない。だからつながりもない人と街で喧嘩してしまうわけ。距離感が壊れているというのかな。普通は身近な人に理解してもらいたいとか、それができなくて怒ったり、悩みが生じたりするわけじゃないですか。なのに身近な人がいない」

確かにそうだ。見知らぬ人間に、自分を分かってもらおうなんて普通は思わない。永田にとっては、乱闘事件を起こすことも、人とのつながりの一つということなのか。痴漢の団九郎は、女性の体に触れることでコミュニケーションを取れている感覚があると言っていたが、それと近いものを感じる。

一方で私は、永田の感情表現の豊かさに驚いていた。このインタビュー中にも、永田は昔を思い出してはよく泣いていた。別日には、ＪＵＳＴの部屋で中島みゆきの『鷹の歌』を聴きながら、「斎藤先生のイメージに重なる」と言って号泣していたくらいだ。

情緒的コミュニケーションのない家庭に生まれながら、永田は感情豊かな人間なのである。もちろんそれは、斎藤の治療の成果だろう。斎藤の患者を見ていると、「人間に返っていく」というイメージを強く感じる。永田は、社会的には何もしていないが、この26年間で、廃人状態から人間らしい姿へと生まれ変わったことは間違いない。

「僕がいくら先生のことをすごい、すごいと思っても、先生のすごさって分かっていないと思う」

永田はポツリと言った。どういうことなのか。

「昔、月1回行われていたワークショップに、うつ病と称する女性が来たことがあったんです」

永田は、あるエピソードを語った。その女性は、ミーティングに参加するため、夫と一緒に地方からやってきたらしい。これまで、数々の病院でうつ病と診断されたものの、投薬治療ばかりで一向に回復しなかった。その日の会場でも、夫の肩にもたれかかり、グッタリしている様子だったという。

「斎藤先生が、その女性に何かを言ったんです。そしたら、ワークショップが終わって帰って行く時に、その女性が夫と手をつないでスキップしているの。ええ⁉ と思った」

うつ病だった女性を、ほんの20分足らずのやりとりで魔法のように元気にさせてしまったということらしい。この時斎藤が彼女に何と言ったのかは、永田は聞き取れなかった。だが、否定せずに傾聴していたことは覚えているという。

「診断したり、処方したり、回復させようとするんじゃなくて、その人のそのままを認めるだけで人はすごくラクになる。あの場面を見た時に、斎藤先生の圧倒的な宇宙を感じた。その大宇宙がどのくらいなのかを想像すると、例えるなら、僕は江戸時代のオランダ製の望遠鏡で、見渡せる範囲内で驚いている感じ。最新鋭の宇宙望遠鏡ならいざ知らず、僕レベルには先生の大宇宙の全容は分からないし、理解できるはずもない。あの面妖さは、神がかっているとしか言えない。それくらいすごい人」

それにしても、斎藤の使うトランスとは、一体どんな手法なのだろう。まるで魔法にかけられたように、その時何をしたがが記憶に残せないのだ。

第11章

死の淵からのフルマラソン

綾瀬奈央（仮名）は、ミーティングでもよく斎藤の話題にのぼる患者だ。内容はもっぱらマラソン。ここ数年間、あちこちの大会に出場しており、このインタビューの1週間前にも『第16回東京マラソン２０２３』で、42・１９５キロを完走してきたばかりだった。

「私の完走タイムは、３時間48分くらい。一応、４時間切りを目指していたので、目標達成はできましたね」

いかにも充実した日々を送っていそうな雰囲気を漂わせ、綾瀬はニコニコしながらやってきた。服のセンスも良く、とても華やかである。

綾瀬の初診は、さいとうクリニック開業の翌年である１９９６年。30歳の時だ。斎藤との付き合いは、約27年になる。当時は摂食障害で、身長１５６㎝に対し、体重25㎏を切るほど痩せていたという。

小6女児の拒食症

綾瀬は、両親と母方の祖母が暮らす家に、二人姉妹の長女として生まれた。小学校2年生までは、給食を残さず食べる健康優良児だったという。

「小学生の頃から洋服が好きで、ファッション誌をしょっちゅう読んでいたんです。やっぱり、細い人が着る洋服というのを見て、そういう体になりたいなと思った」

クラスメイトには細い子がたくさんおり、普通体型だった綾瀬は、彼女たちを意識するようになった。もっとも、その頃はまだ、ただ美しくなりたいという気持ちだけだったようだ。

「そういう子が給食を残しているんです。綺麗な子は残すんだと思って、私もあえて残してみたんですね。そこら辺からハマっていったのかな」

小学校6年生のある日、以前よりアルコール依存症だった父親に末期がんが見つかった。タバコと酒による食道がんで、病院で診てもらった時には、すでに全身に転移していたという。綾瀬は、食事ができなくなっていく父親を目の当たりにすることになった。

「父親の姿を見て、大人がこんなに食べないのだったら、私がそんなに食べたらまずいでしょって、勝手に思い込んだんです。そこから給食も全部残して、どんどん食べなくなった。だから、最初の摂食障害は小学校6年生の時。何も食べない拒食症ですね」

小児科医の伯父が異変に気づき、すぐに病院へ連れて行かれた。だが、綾瀬が入院を嫌がったため、この時治療することはなかった。同じ年の夏休み、父親は、がんの発覚からわずか半年ほどで亡くなってしまう。

「早い時期に親を亡くすってあんまりいないから、そのことでも周りから浮くような環境になってしまったんですよね。その時期を境に、友達とも一切交流をしなくなっちゃった。担任の先生が心配しても、もうどうでもいいみたいな感じでした」

痩せて綺麗になりたい気持ちは、父親の死と重なったことで、食べないことへと向かったようだ。この頃、視線恐怖も始まった。廊下の向かいから人が歩いてくると、怖くて歩けなくなるほどだったという。

「人の視線が怖くて、人前でご飯が食べられなくなっちゃったんですよ。だから、中学校に入ってからも、給食は全部残していたんです。そうすると、やっぱりクラスで浮いてしまうんですけど、小学校6年生の時点でもう友達はつくらないと決めちゃったので、まあいいかと思った」

高校生になると一時的に食欲は戻ったが、大学受験のストレスで10kg太った。これをきっかけにダイエットを始め、今度は下降線を辿るように痩せていくことになる。

「極端な痩せ方をしていったのは、大学に進学してからですね」

すでに小学校6年生を境に、肉は一切食べなくなっていた。その偏食ぶりは、大学に入って加速したようだ。食パンを3〜4斤買ってきて、パンの耳だけを食べて中身を捨てる。味噌汁にワカメを山盛り入れて、ワカメしか見えない状態で食べる。極めつきは、焼き海苔を一日3帖。海苔は一帖10枚なので、20㎝×20㎝の焼き海苔を、一日に30枚食べたということだ。

「普通の食べ方はもうしていなかったんです。自分が決めたものしか食べなかったし、いつの頃からか家でも一人で、みんなが寝静まった後に食べていました」

下剤の乱用が始まったのも、この頃だった。ひどい時は、1回で150錠の下剤を飲んでいたという。

「朝昼はあまり食べなくて、夜に大食。食べる前に下剤を飲むので、食事の最中からお腹がすごく痛くなって、お布団の上で七転八倒。痛みがないと生きていられないみたいな感じでした」

そんな生活の中、綾瀬は大学3年生の夏休みを使って、2週間のフランス旅行へ行った。だが、異国の地でも当然のように何も食べず、体重は何と23kgにまで減った。

「あの頃はもう本当におかしくて、食べなくても生きていられると思っていたんですよ。そうしたら、だんだん起きていられなくなって、横になったまま動けず、病院に入れられました」

渡仏から約1週間後、栄養失調による劇症肝炎で倒れ、フランスの病院へ入院したのである。だが、病院でも綾瀬は何も口に入れようとしなかった。入院先の担当医からは「生きているうちに帰りなさい」と言われ、点滴を打ちながらフランス人医師と一緒に飛行機に乗って帰国。成田空港に着くと、そのまま慶應義塾大学病院へと搬送された。よほどひどい状態だったのだろう。

「自分の状況がよく分からなかったんですけど、安静にしないといけないと言われて、そのまま1ヵ月くらい入院しました」

劇症肝炎が完治すると、病院側は摂食障害の治療を勧めた。だが、綾瀬は大学の試験があることを理由に治療を断り、退院してしまう。

「摂食障害だっていうのは分かっていたんですけど、治すつもりはまったくなかったんです」

お母さんがほしい

大学を卒業して一人暮らしを始めたものの、まともな就職はできなかった。一度は、フランス語専門書店に勤めたが、本を運ぶ体力もなく、人間関係もうまくいかず、すぐにクビになった。その後も、職を転々としたが、どこへ行っても馴染めない。元々ファッションが好きだった綾瀬は、好きなことをやれば体が良くなるかもしれないと考え、織物の夜間専門学校へ通うことにした。しかし、行き詰まり感はまったく解消されなかったようだ。

「美大を卒業してきたような女の子たちがいっぱいいたんです。その子たちのエネルギッシュなパワーとか、創作に対する熱い想いに接していると、自分が空っぽで内側から湧き出すものが何もないということがハッキリと分かってしまったんです」

だが、幸いにも人間関係には恵まれた。

「このままやっていても限界があるし、『ちゃんとお医者さんにかかって専門的な治療を受けたほうがいいよ』と言ってくれる人がいて、初めてその言葉を受け入れようと思ったんですね」

これまで、医者に言われても頑として治療を断っていた綾瀬だが、友人からの言葉で、治療に前向きになったのである。

「ある意味、どん底だったんですよね。好きなことをやっても良くならないんだというのがハッキリしたし、この先どうしていいのかも分からなかった。じゃあ、自分の体に向き合ってみよう、ちょっと方向性を変えよう、みたいな感じ」

綾瀬は書店に行き、摂食障害に関する本を探して読んだ。その中に、斎藤の著書『カナリアの歌』があったのである。

「この先生だったら、理解してくれるかもしれない。治してもらいたいという気持ちはなくて、とにかく話を聞いてもらいたかった。それで、斎藤先生のところに行ったんです」

30歳。小学校6年生で摂食障害になってから、初めて自らの意思で病院へ向かったのだ。だが、そこで見た斎藤の印象は、決して良いものではなかったという。

「デイナイトケアで摂食障害のミーティングに参加したんですけど、そこに来ている女の子たちと斎藤先生がハグしたり握手したりして、すごく体の接触があったんですね。それが、生々しくて結構ショックだった。えっ、この人は本当に信用できるのかな？　って。それで、ちょっと観察しようと思ったんです」

こうして遠くから観察を続けていた綾瀬は、あることをきっかけに、斎藤を信用するに至ったという。

「患者さんで性被害を受けた女性がいたんです。その卑劣な行為に対して、斎藤先生が激しい憤りを表明するのを聞いた時に、あっ、この人は信用できると思ったんですよ」

綾瀬はその後、斎藤に直接声をかけ「私の話を聞いてください」と訴えた。こうして、長い治療関係が始まったのである。

「先生からは、痩せた体を指して『干物』とか『鶏ガラ』とか、その辺のことを言われましたね。フフフ。でも先生が見た目のことを言う分には、全然何とも思わなかった。あ、そうなんだと思って喜んだりしていた」

摂食障害のミーティングはいくつもあり、斎藤が出席しているものと当事者だけのものがあったが、綾瀬は斎藤がいるミーティングにだけ参加していた。

当時を振り返って、綾瀬はこう語る。

「摂食障害の患者は、ほぼ女性なんです。だから、いろんな人に嫉妬していました。摂食障害でも、可愛い人もいれば、才能がある人もいるじゃないですか。他の人に注目が向いていると、先生はあっちのほうがいいんだ、自分はどうせダメなんだみたいな」

それは、きょうだいで親を取り合うような心境だったという。

「私の場合は、親以上でしたね。みんなが斎藤先生のことを、お父さんとかお母さんみたいに思っちゃっていた。特に摂食障害の人は、お母さんがほしいみたいな感じで、私を含めて子ども返りしている人が多かったです」

斎藤の中に、父性ではなく母性を求めたということか。中には危険な患者もいたようだ。

「斎藤先生に対して、恋愛妄想みたいなものを持ってしまう患者さんも結構いた。ストーキングとかもされていたから、そういうのもあってハグを止めたのかな? 昔は診察室でも、先生と患者の間に距離があったんですよ。何回か怖い目にあったことがあると言っていましたね」

ハグは一時的な風習で、すぐにやらなくなったようだ。

痛みを求めて

もっとも、通院が始まったからといって、綾瀬の摂食障害が治るわけではなかった。むしろ、悪化する一方である。最初は仕事をしながら夕方のミーティングに参加していたが、斎藤の勧めで生活保護を受けることにした。数年間は、毎日朝からデイナイトケアに通うことに集中したのである。

　クリニックに来ると、毎朝血圧を測り、ひどい時は5階にあるベッドで一日中寝ていた。ミーティングに参加しても、壁にもたれかかり、寝ていることも多かったという。

「自分のアパートにいられなかったんです。クリニック以外の時間は、街をほっつき歩いていた。本来なら自宅のベッドで寝ていたほうがいいんですよ。睡眠もあまり取っていなかったし、ご飯も食べていないし、体力もないから。でも、家にいられなくて、ずっと外を歩いちゃったりするんです」

　一人暮らしの家にいられないとは、どういうことなのだろう。

「動いていないと太っちゃうみたいな強迫観念があったんです。それに、何かやらなきゃ、何かやらなきゃという切迫した気持ちがあった。家でのんびりしていると、何もしていない自分を責めちゃうんです。だから、とにかく外へ出て、何もできなくても喫茶店へ行って、本を読んでいるフリはするんだけど、もう眠くて本なんか読めないんですよ。だから読んでいる格好だけをする。すごく無駄な時間を過ごしていました」

　骨と皮だけの体は街中でも目立ち、知らない人から「気持ち悪い」と指を差されることもあったという。

「一瞬悲しい気持ちになるけど、人と接していないし、感情をシャットアウトしていれば、それも全然入ってこない。その頃は、痛みを味わうことが、かろうじて生きていることを味わう瞬間でした」

下剤の痛みでのたうちまわることも、生きている実感の一つだったということか。痩せて綺麗になりたい気持ちとは、もはや遠くかけ離れている。

「もう全然。そこの次元はとっくに超えちゃっていましたね」

父親の人生を生きる

体重は30kgに満たず、相変わらず危険な状態が続いていた。だが、斎藤は「食べろ」や「太れ」などとは、一切言わなかった。

「先生からは、下剤を何錠飲んだかを付箋に書きなさいと言われて、毎日申告していたんです。でも先生は、別にすぐにそれを止めろとかは言わないんですよね。体力が限界まで消耗した時、『ハイ、明日から入院してちょうだい』って、先生が勝手に決めちゃった」

それは、治療開始から数年経った頃のことだった。綾瀬は、斎藤の指示で、久里浜医療センターへ向かった。そこで年配の精神科医に、「10kg太らないと退院はさせない」と言われ、激怒した。

「そんな条件は飲めません。私は斎藤先生のことしか信じないので、ここでは何も話しません」

そう言って治療を拒否したのだ。結果、入院を断られ、斎藤への苦情が書かれた手紙を握らされて帰ってきたのである。

「でも、斎藤先生は私を叱らなかった」

斎藤には絶大な信頼を寄せていたが、やはりこの頃もまだ、治そうという気持ちはなかったらしい。

「私は、父親とすごく性格が似ているところがあるんです。通院して初期の頃に、『あなたは父親を取り込んでいる。父親の人生を生きている』って先生から言われた。それがすごく印象的だったし、嬉しかった。父親はアルコール依存症で、お酒を飲んでは荒れて、祖母に暴言を吐いたりして、決して良い人ではなかったんだけど、音楽を愛し仕事に打ち込む姿を尊敬していたんです。だから、そういう父親を取り込んでいるというのは、私にとっては褒め言葉だった。先生は私のことをちゃんと分かっているんだと思って、それが信頼関係が深まっていく一つの要素でしたね」

綾瀬は、ミーティングや面接を通して、何年にも渡って斎藤との対話を続けた。

「いろんなことを話しながら解きほぐして、自分のどこがおかしいのかということを、先生が反射してくれるというか。そこで初めて、自分のことが分かってきた」

食事以外にも、綾瀬には歪んだ部分があったようだ。しかし、小学校6年生で人間関係を断ち切ってしまった彼女には、人から指摘されるような機会もなかった。そうした面も、斎藤との対話で気づかされたという。

「自分の女性性をまったく受け付けなかったんです。女性であることが嫌で嫌でしょうがなかった。痩せたことで、生理は大学生の頃から止まっていたんですけど、それがすごく嬉しかったんですよ。自分に女の要素がないことが嬉しかった。結婚して子どもを産んで育てるみたいな、そういう女性としての生き方は絶対にしたくないと思っていた。性はまるっきりないものとして、自分でシャットアウトして生きていたんです。そしたら『それはおかしい』ってことを、斎藤先生が突き付けてきた。ある程度、治療が進んでからですけどね」

斎藤は、これを問題の核としてとらえていたようだ。

人生を好転させるきっかけ

ちなみに、綾瀬がマラソンを始めたのは、2年前だという。きっかけは、5年前にスポーツジムへ通い始めたことだった。

「そのジムでマラソン大会の話を聞いて、私も参加してみようかなと思ったんです」

だが、この時のパーソナルトレーナーからは、痩せていることを理由に止められたようだ。

「『綾瀬さんが体重45kgになったら、安心してマラソンできると思うよ』と言われたんです。でも、そんな体重になった私は、私じゃないと思った」

相変わらず食事はできなかったということだ。ただ、綾瀬は本当に体重45kgにならないと走ってはいけないのか、別のインストラクターに相談したという。

「そしたら、その人は『あなたの体はマラソンに向いている』と言ってくれたんですよ。痩せている今の状態の体が向いているって。その一言で、そのインストラクターについていこうと決めたんです」

こうして本格的に、シューズや時計を揃え、走り方や練習法を教わるようになった。

「食事も改善しなければいけないと言われて、人間関係についてもいろいろ助言されたんです。そのインストラクターとのやりとりが始まってから、ランニングだけじゃなくて、いろんなことが変わってきた。何かね、走ると人間関係が動くんですよ」

どういうことなのか。

「自分が『マラソンやっています』って言うと、いろんな人から反応が返ってくるんです。競技としては一人で走っているけど、コーチとの関係もすごく濃密になってくるし、チームの女性たちとの関係も濃密になってくる。今回の東京マラソンも『応援に行くね』と言ってくれた人がいたし、普段話したことがなかった人もメッセージをくれたんですよ」

では、そもそも体を鍛えようと思ったきっかけは何だったのだろう？

「運動すれば、下剤を飲まなくても痩せられる。単純にそういうことです」

至極真っ当なことを言うので、私は驚いてしまった。そこに行き着くまでに、随分と時間がかかっているように感じる。何か特別なスイッチがあったのだろうか。

「ええ？　何だろう」

普通は、初めからそう考えるものではないのだろうか。

「やっぱり、体重も含めて健康的になろうという意識がその辺りから出てきたのかな。その前は、全然まったく健康なんて興味がなかったし、早く死にたいと思っていたから。健康的に痩せようみたいな意識はまったくなかったんです」

不思議だ。最初のきっかけであるジム通いを始めたのが5年前ということは、治療開始から22年後である。それにもかかわらず、ジムからマラソン大会出場までは、たった3年。自傷行為のように痛みを求めて痩せていた日々から、健康的な生き方に切り替わったのはいつなのだろう。

「大きな転換点はありました」

綾瀬は、サラリと言った。

「私、男の人とまったく付き合ったことがなくて、もちろんセックスとかもしたことがなかったんです。映画でそういう場面が出てくるのもすごく嫌で、映画自体が真っ暗になってしまうと思っていた時期もあるくらい。そのことを先生に話した時、『おかしい』『セックスぐらいで何を言っているんだ』みたいに言われたんです」

まさに「リビドーの枯渇」とつながる話だ。綾瀬には、この期間が長くあったらしい。だが、治療から10年以上が過ぎた頃、ある変化が起きたという。

「初めて男の人を好きになったんです。歌手の福山雅治なんですけど。それでファンクラブに入って追っかけをするようになったんです。ライブも東京だけじゃなくて、沖縄とか長崎とか仙台まで行くようになって、その期間がかなり長かった。そういう形で男の人に興味を持つようになったんです」

芸能人に恋をするとは少女のような感覚だが、綾瀬にとってはそれも初めてのことだった。

「福山さんに恋をした時に、もう少し太ったほうがいいかなと思い始めたんですよね」

小学校6年生を境に時間を止めてしまったかのような綾瀬にとって、それは時計の針が動き出したことを意味していたようだ。そして、ある日、綾瀬はマルグリット・デュラス原作の映画『愛人／ラマン』を鑑賞し、そのセックスシーンに魅了された。これまで嫌悪感しかなかったのに、その映画の印象は違ったのである。

「初めてセックスに興味を抱いたんです。少女が凌辱されるシーンだったんですけど、私はあの少女になりたいって思った」

43歳。これまで一度も性体験のなかった綾瀬にとって、それは初めて湧き出てくる感情だった。当時の綾瀬は、企業で派遣社員として働いていた。その職場の上司から一緒に国家資格を取ろうと誘われ、二人で予備校へ通っていた時期だった。

「それで斎藤先生に相談したんです。私のその時の生活圏内で、男の人として見当たるのはその上司だけだった。そしたら斎藤先生が『じゃあ、その人に頼みなさい』と言ったので、『分かりました』って。ハッハッハ！」

すごい話だ。しかも、相手は妻子のいる身だったという。

「まぁ、不倫なんですけど。私は結婚したくないから、その人の家庭を壊す心配はないなと思った。相手が私に気があるかもしれないとは感じていたから、頼めば何とかなるかもしれないと思ったんです」

この上司とは、しばらくセックスパートナーとしての関係が続いたという。

「その辺から、自分の体を傷つけるだけの生活みたいなことから、ちょっと変わってきたんじゃないかな」

これまでの日常を考えたら、だいぶ大きな変化だ。しかも、「性体験をしてみたい」と訴える患者に、相手の男性まで決めてしまうとは、かなり具体的な提案である。

「そういう治療なんです、斎藤先生は。フフフ。だから普通の医者とか、常識的な話を超えているんです」

性に励め

もっとも斎藤は、綾瀬の問題が性欲の否認であることを最初から見抜いていたらしい。

「たぶん先生は会った時から分かっていたと思うけど、投げかける時期を見計らっていたんだと思う」

綾瀬が性に興味を持った時、これを最大の好機ととらえたということだ。しかも、その読みは当たったのである。

「はい、そうなんです」

私は驚くばかりだった。しかも、斎藤の理屈では、性的な関係だけで、恋愛はなくてもいいということである。

「先生はそういうの関係ないですね」

その後、不倫関係に悩んだりはしなかったのだろうか。

「しないです。別に好きじゃないし」

見事に治療のための相手だったということだ。

「でも、すごく必要とはしていたんですよね。ちょうどその頃、資格試験を受けて、2回連続で落ちたんです。で、2回目にすっごいショックを受けちゃって、その職場も無断欠勤したんですよ。本当に動けなくなって、買物に行けないし食べ物もないから、そのまま餓死しようと思ったんです。そしたら、その上司が食べ物を持って家に来てくれたんですよ。最初は拒否していたんです。もう死ぬつもりだから要らないって。だけど、2回目に持って来てくれた時、やっぱり食べようかなと思った。だからその人がいたことが、今も命がつながっていることと関係があると思うんです」

私は、斎藤が以前ミーティングで語っていた、「女は肉を運んでくる男とペアリングする」という狩猟採集時代の話を思い出した。

「でも、やっぱり好きじゃなかったんですよね。その上司は、男の人としてじゃなくて、お母さんみたいな感じでした」

上司もまた親代わりだったのだろうか。ちなみにこの関係は、綾瀬が相手から嫌われたことで終わったらしい。

「最終的に私だけが試験に受かって、その人は落ちたんですよ。そしたらプライドがつぶされちゃったみたいで、『もう会わない』って言われた。最後に会った時、斎藤先生の悪口をいっぱい言われて、こんな人とは会っていられないと思って終わりました」

さすがに、ことの始まりが斎藤の提案であったことは教えなかったようだが、通院していることは知っていたらしい。斎藤との信頼関係も、おそらく綾瀬から感じていたのだろう。

「何か斎藤先生にも嫉妬したみたいで、学歴も『東大じゃないじゃないか』とか言い出して。くだらないでしょ。バカじゃないの。小さい奴だなぁと思って、それですっぱり綺麗に別れました」

それでも、この上司との性体験をきっかけに、人生が前に進み始めたのだからすごいことだ。綾瀬は今、国家資格を生かした仕事に就き、収入が安定したことでジム通いを始め、マラソンを始めたことで人間関係が生まれ、人生を謳歌しているのである。長い間スタックしていた車が、猛スピードで走り始めたのだ。

斎藤は、クリニック内でも患者に対し恋愛を積極的に勧めている。そのことについて、あるインタビューではこう語っていた。

「性に関しては、私は15歳を超えたら一刻も早く性行為を急ぐべきだと思ってる。で、そこで一応の快楽を感じるようになったら、それに励めというのが私の一貫した主義主張だね。案外、そういうことを言うとたじろぐ人が多いんですよ。性倒錯者なのに、性行為はしたことがないという人もいますからね」

性の否認は、人々が思っている以上に問題を孕んでいるようだ。

最終章

ストレンジャー

患者たちの話を聞いて、私の中には多くの謎が残った。

まずは、凄まじいまでのモチベーションの源だ。斎藤は、人生のすべてを治療のために使っているように見える。プライベートな時間などほとんどなかったのではないか。症状の重い患者も多く、亡くなる人も多かったと聞く。人の生き死にを見続けるなど、よほどの使命感がないとできない仕事だろう。

心理療法士の椎名は「たぶん、何かあったんじゃないですか」と言っていたが、私も同じことを感じた。それは一体何なのだろう。

気になるのは、斎藤には妙に死にかけた経験が多いということだ。8歳の時には、進駐軍のジープに撥ね飛ばされ、高く飛んで都電のレールに頭から落ちて、4日間意識を失っている。麻布中学2年生の時には、修学旅行先の相模湖で遊覧船が沈没し、同級生22名が亡くなった。どちらも大変な事故だが、強烈なインパクトを与えるのは、やはり後者だろう。

1954年に起きた「内郷丸遭難事件」。斎藤はその生き残りなのだ。このエピソードを語る時、斎藤はいつも「私にはたいした記憶ではない」と強調していた。私はそのことが引っ掛かっていた。

この遊覧船は当初は予定になく、昼食を取った茶店の主人に勧められて、希望した生徒だけが乗船することになっていた。この時、斎藤も希望者に入っていたが、バスの中で友人たちとポーカーをしているうちに集合時間が過ぎてしまい、外は小雨も降っていたのでサボったという。結果、教諭二人を含む、計77人を乗せて出航。ところが、遊覧船の定員は乗客19名だった。重みに耐えきれず浸水し、船は10月の湖の中に沈んだ。

「乗ってたら死んでたよ」

斎藤は、そう語る。

ポーカーに勝ってバスで寝ていた斎藤は、この時、何が起きているのか分からなかったという。教諭から「宿屋に行け」と言われ向かうと、助かった生徒たちが、濡れた学生服を脱いで浴衣に着替えていた。

「私が通りかかると、『ガクちゃ〜ん（斎藤の愛称）』とか言って抱き着いてくるんだよ。自分では助かって感激してるんだろうけど、私はストレンジャー気分だから、何だこいつら感傷的になりやがってと思ったね」

だが、助かった生徒ばかりではなかった。

「私の親友で、しょっちゅう一緒に遊んでいた高田君っていうのがやられちゃった。背も高いし体も強いし、誰が死のうとあいつなら助かると思っていたんだけど、いくら探してもいなかった」

私は絶句した。思春期に親友の死に立ち会うなど、そうとうショックなはずだ。ＰＴＳＤになってもおかしくない話である。

「他の連中はそうだと思う。私は本当に、自分でも変だなと思うんだけど、何に対してもストレンジャーなんですよ。だから事故のことも、そういうことがあったなというくらいで、自分のこととして納得できない」

本当だろうか？　事故の前と後では、同じではいられないように思うが。

「私は自分で人の外傷体験（トラウマ）とか扱っている癖に、そういう心の問題というのはまったくないのね。あるいは、無意識の問題として埋もれているのかなと思うこともあるけど、どう考えても私の酷薄非情さ、人との縁のつくり方が非常に薄いという、私独特の人間関係が理由としか思えないの」

今の斎藤の仕事に関わる体験と言えるが、精神科を志すきっかけになったということはないのだろうか。

「そう言われても、ちょっとね。相模湖での事件が、自分の人生を変えたということは一切ない」

キッパリと否定するのだった。そして、私の想像の斜め上を行く不思議なことを言い出した。

「精神科と関係のある思い出と言ったら、小学校6年生の時かな。腕力の強い奴に絡まれて、殴り合いの喧嘩になったんだよ。その時になぜか知らないけど、『俺は子どもの心理学者になるんだから、お前ら町人とは違うんだ。これから頭を使うんだから殴るんじゃないコノヤロー！』って啖呵切ったの。そんなこと考えたこともなかったのに」

この頃の斎藤は、父親から画家になることを期待され、油絵を描いていた。のちにフロイトの本と出会い、没頭するようになるが、それは高校生になってからのことだ。

これまで一度も考えていなかったことが、突然口をついて出るなんてことがあるのだろうか。

「だから人の無意識ってすごいんだよ。何で〝子どもの〟だったのかは分からないんだけどね」

まるで、生まれながらにして精神科医になることが運命づけられていたかのような話である。

斎藤が精神科を志す直接的なきっかけは、「浅沼稲次郎暗殺事件」だったという。1960年、17歳だった山口二矢（おとや）が、日本社会党党首の浅沼稲次郎を、日比谷公会堂での演説中に刺殺した事件だ。斎藤はこの時19歳で、浪人中だった。

「山口二矢がやったことに、どういう意味があるのか知りたいと思ったの。私は小学生の頃から極右で愛国少年だったんですよ。たぶん自分も同じようなことをやりたかったのにやれなかったというか、やることを思いつきもしなかった。だから、その頃から、精神科っていうのがハッキリ見えてきたんじゃない」

斎藤は妙に神がかっているところがある。曾祖父は神官だったというが、どこか目に見えない存在を操っているかのように見えるのだ。その点では、ストレンジャーというのも分かる気がする。だが、これだけ患者の話を聞いても、斎藤がどのような技を使っているのかが分からない。

本音の出し方

もっとも不思議なことは、ミーティングの場で関係のない話を長々とし、その後に言った斎藤の一言で、患者の意識に突如として変化が起きるという現象だろう。しかもその場にいた患者たちは皆、斎藤の言った一言を聞き逃す。多くの患者が目撃しているにもかかわらず、何が起きたのかは誰にも分からなかったのだ。まるで魔法にかけられたかのようだが、これについて問うと、斎藤はあっさりとこう答えた。

「患者さんの気を逸らしたほうが、本音というものが出やすいと思っているんです。だから、別のことに気を逸らしているだけ。あのね、『自由連想してください』と言ったところで頭が真っ白になるだけですよ。特にミーティングの場合は」

自由連想法とは、フロイトの考案した精神分析の技法だ。与えられた言葉から、心に浮かぶものを自由に話してもらい、心の奥にある問題を探っていくというもの。しかし斎藤は、これだけでは本音は出てこないという。

「だからミーティングと言いながら、私一人が独演会のように話すんです。ネアンデルタール人と現状人類がどうやって分かれたかみたいな話をよくしているでしょう。みんな退屈しているのは分かっているんです。そういう時に、本音に近いことがチラッと出てくる」

私が最初にミーティングを見学した時、斎藤は小児性愛者の青年のエピソードを長々と語っていた。だが、もっとも多く使われるのは、人類の歴史に関する話だ。患者たちは同じ話を何度も聞かされているわけだが、まさか意図的にやっているとは思わなかった。

では、その場にいた聴衆が、長話の後にパッと出た斎藤の一言が思い出せないというのは何だろう。私たちは退屈な話を聞かされることで、トランスに入らせられているということなのか。

「トランスに入らせていることは確かですね。トランスというのは、『入らせますよ』と言って入らせるものではないんです。みんなが聞きたくないような話を充分にして、退屈し切った辺りで、そろそろいいかなって」

確かに私もあの時、一所懸命聞こうとしながら、途中で頭が追いつかなくなり宙を見ているような状態だった。その時に言葉を投げられると、心の奥にある本音が出やすいということなのか。

「本音というものがあって、それを聞くわけではないんです。彼らが私に相談しようと思って持ってくる話は、本当に大事なことではない。そうじゃなくて、その裏にある」

どういうことなのか。

「言葉というものは、『それでね』みたいな前振りをして真剣に話すものと、ちょっとした挨拶とでは区別しているでしょう。そこが問題なんです。本当に大事だと思って話すことは、意外と大事ではない。むしろ、〝ここはあまり問題ではない〟と思うようなところに意味がある。だから精神分析の場合は行動を見るわけです。話はあまり聞いていない」

私は皆川の言っていた、個人面接で話をしている最中に、斎藤がAmazonで買物をしていたというエピソードを思い出した。あれもやはり戦略だったのか。では、斎藤は患者のどこを見ているのだろう。

「一番大事なのは、存在するかしないか。『毎週1回お話しましょう』と言いながら、〝来ない〟という選択をされると、それは重要な言葉になる。来ないから情報が取れないのではなく、行動の中には『いない』という情報もあるわけです。精神分析的な見方というのは、欠如を重く見る」

それは、会話の中に見られる〝欠如〟も同様らしい。

「例えば、息子の不登校に関する相談をしに来たお母さんが、いざ面接に入ると、息子のことは全然話題にしてこないことがある。そうすると、息子の不登校は、私に辿り着くための単なる切符だったのかもしれないということになる。本当に相談したいのは自分のことで、息子の不登校は看板になっていたということです」

各種の症状も同じで、「摂食障害です」と言ってやってきた患者の悩みは、摂食障害そのものではなく、その裏にあるということだ。斎藤は、「みなさんの主訴（患者が医者に訴える悩み）というものはほとんど嘘」などという言い方をする。症状そのものにフォーカスした治療をしないのも、そのためなのだろう。

毛糸の玉ができる

10年20年と通っている患者を見て、私は「土台が安定している」という印象を受けた。それは、斎藤のもとを訪れて日が浅い人を見て、初めて気がつくことだった。例えばまだ3回しか斎藤と会っていない人と比較すると、その差は歴然としている。身に纏う雰囲気から、不安定な様子が伝わってくるからだ。そして、斎藤の側も「ええっと、誰だっけ？」となる。これについて、斎藤はこう語った。

「日が浅い人だと、私の中に相手の像が結べていないの。こうしたことは対等なので、その人の中にある私のイメージも、ここにしょっちゅう来ている人たちとは違う。精神分析では、これを転移と言いますね」

ある日のミーティングでは、これを「毛糸の玉」という言い方で説明していた。患者が斎藤のもとに通い、自らの背景について話す機会が増えると、まるで毛糸の玉が大きくなるように、斎藤の中に〝情報の玉〟ができる。すると、斎藤特有の記憶方法で、相手の風貌や声が映像となり、サウンドとなって聞こえてくるようになるという。例えば、斎藤は、「○○さんは、私の中に毛糸の玉がない。家族の話をまだ聞いていないからね」などと言ったりする。その記憶力は凄まじく、いったん毛糸の玉ができると、相手が驚くほど何でも覚えているという。

この転移は、斎藤にとって必須のようだ。デイナイトケアがあった頃は、昼食のお弁当を目当てに来る患者も多かったというが、とにかく通うことで、斎藤がいる世界を当たり前にすることが重要だったという。

「そうすると、患者の中にだんだん私が増大するわけ。だから〝お参り〟という感じになってくる。私の後ろに何かがいて、私は狛犬をやっている。皆さんは、私の後ろにある神社を拝みに来ている、そういう説明の仕方をしています。でも、結局会うのは私なので、後ろにあるものは見えないけどね。患者には、ここへ来ることを合理化してあげないといけない」

そうしているうちに患者の中に「斎藤の顔が浮かぶ」という現象が起きるようだ。例えば、買物依存症の患者が、高い服を買おうとした時、斎藤の顔が浮かんで止める。覗きを止められない患者が、人の家の風呂場を覗こうと塀に登った瞬間、斎藤の顔が目の前に現れて、塀から降りたこともあったという。

「簡単に言うと、超自我が植え込まれる。正確には、イントロダクション。要するに、自分の行動を規制するものの取り込み。ここに来ている人たちは、それをやっちゃダメでしょうってことをするタイプが多いじゃない。そういう時に、私の顔が出てきて止めたりする。『先生の顔のおかげで止められました』とか言うのね」

こうした関係をつくるためにも、最初は週に2〜3回会うのが理想だという。しかし、現在は保険適用外なので、ミーティングはともかく、個人面接は料金が高い。月1回しか来られない人も多いという。

「月1回の面接で強力な印象を、つまりトランスを与えていかないといけないからちょっと大変なの。『トランスって何ですか?』と言ったら、外傷体験なんですよ。トランスは、トラウマなんです。だから相手がビックリするようなことをバッと言う。やっぱり『痛っ!』って感じを受けながら、『何だったんだろうあれ?』と思わせるようなことを、1時間の面接で1回はやらないといけない」

言われた側は、斎藤の言葉が忘れられなくなるそうだ。だから再び訪れるのである。

フロイト以降の仕事

長きに渡って通い続ける患者を見ていると、本当はとっくに治っているのでは？　と感じることがある。斎藤への信頼は厚く、実際「親以上」という言い方をする人もいた。しかし斎藤は、親子関係という見方をキッパリと否定する。

「それは錯覚でしょう。私たちは縁があってこんなに長い付き合いになっちゃったけど、ある症状を取ることは数ヵ月でできちゃうわけですよ。フロイトのヒステリー研究なんかだと、3週間や長くても数ヵ月で症状を取って治療を終える。だけど全然治っていないんです。実際、フロイトの患者が名乗り出て、自分が治っていないことを1冊の本にしているからね。問題は、『帳(とばり)を上げたらまた帳』というのが人間なんです。ずーっと、問題が続いていく。開けた先に何があるかは分からない。開けること自体を面白がっているから続いているの。だから親子関係でも何でもなくて、謎解き関係。その『謎』って何ですか、と言ったら、『ヒトって何ですか？』みたいなこと。この関係は染まっちゃうとなかなか途切れなくなる。私以外の人と話してもそういうゲームに入っていけないから、『今度はこういうことが起こりました』って皆、言いに来るわけだよ」

だから、就職相談や恋愛相談のようなことまでしているのだろう。その姿は、まさに伴走者だ。通常の精神分析は必ず期限付きだが、斎藤の場合は期間を決めていないという。

「私がやっている仕事は、フロイトがやった仕事以降のことを引き受けている。その人がどうやって今後の生活をしていくかまでを考えることが、私の仕事と思っているわけです。言ってみれば一生。その人が嫌になるまで、お付き合いするのが私です。お付き合いであって、治療はしていません。治しているのは患者さんが自分で治しているんです」

もっとも、こうした精神分析の技法を取り入れているからと言って、斎藤自身は分析医と思っていない。念を押すようにこう述べる。

「私がやっていることは、いわゆる精神分析そのものではないですよ。私、独自のもの。そもそも私は、医者と思っていないところもあるし、治療者とも思っていないの。できればそういうのを突き抜けたい。だから私は、精神分析者と言われるのは嫌なんですよ。ただ、やっている方法としては、明らかに外傷理論系の精神分析に近い。私はあくまで、その人の行動がどういう外傷体験と関係しているのか、ここだけを見ているんです」

そして、一般の精神医療をこう批判する。

「不満はたくさんあるけど、一つは医学に似せようとし過ぎているところ。医療じゃない問題を医療にし過ぎている。無理なんですよ。動物と人間の違いは、動物は生命そのものを生きているけれど、人間は生命＋言葉なんです。それなのに言葉を取ってしまって、もう1回副交感神経に戻ろうとかね。ＥＭＤＲ（ＰＴＳＤの治療法）みたいに眼球運動をさせるとか、認知行動療法にしても、私から見るとお子様ランチなの」

斎藤はむしろ、言葉を使うだけで充分だという。

「私みたいに臨床を中心にして診ていれば、人間が言葉を使いかねて、あるいは言葉に出せないために症状になってしまっていることはよく分かるわけ。そういうことは、ちゃんと見ていれば誰でもできることで、逆に言えば医者がやらなくてもいい。当事者が当事者を治せば一番良いでしょ」

斎藤が、回復した患者をリカバリングアドバイザーとして育てているのはそのためだ。

「私たちが『治った』と言うのは、何か知らないけど治ったねえ、みたいなことなんです。長期経過で見れば、良くなっているという話。3ヵ月の間でこういう治療をやって、その結果良くなりましたというのはない。もしそういうことを言うのだったら何かの間違いですよ」

そもそも斎藤は、さまざまな症状を持つ患者を「病人」と見ていない。デイナイトケアを始めた理由もこう語る。

「世間の人を来させようと思ったんです。世間の人みんながおかしいというのが私の考えだから。そこらの通行人みんなおかしい。だから、誰が来てもいい場所をつくろうと思ったんですね。精神分析だとみんなが神経症で、健常人とか正常人とかいないわけです。誰にでも何か偏向があって、それが個性だから面白い。後は、どれだけ有害か、反社会的かというだけの問題。そうしたら、医療でなくていいわけです。社会全体が寛容になるとか、人々の個性にしてしまうとか、福祉の問題で片づくようなことが随分ありますよ」

しかし、今の精神医療は、まったく違う方向に流れている。さいとうクリニックを閉院したのは、後継者がいなかったからだ。医学界で自分のような人間をつくることには失敗したと斎藤は語る。

「今だって、未来の自分から『さいとうクリニックのミーティングに行け』と言われている人はたくさんいるんだろうけど、もうクリニックはないんですよ。ビルは取り壊されて、空き地になっている。その人たちはどうするのかなと思うけど。まあ、私が生きている限り出会いは保証されているんじゃない？」

斎藤の治療について一番詳しいのは、間違いなく患者たちだ。彼らの中には、リカバリングアドバイザーとして活動を始めた者もいる。しかし、斎藤の技を受け継げる人間はどこにもいない。

あとがき

「私たちの意識は広大な無意識の海に浮かぶ豆腐のように儚い」とは、斎藤先生の本にたびたび出てくる一節で、私の大好きな言葉だ。無意識を発見したのはもちろんフロイトだが、斎藤先生の言葉からは映像が浮かぶ。広大な海にプカプカと浮かぶ一丁の豆腐が見えてくる。そうか、人間の意識はこんなにもちっぽけだったのか。そう思うようになってから、私は頭で考えることよりも、結果的にやってしまうことのほうを信用するようになった。自分の記憶も本音も願望も、無意識がすべて知っているのだ。

思い起こせば、本書は不思議な始まりだった。

私は、前著『「死刑になりたくて、他人を殺しました」無差別殺傷犯の論理』（イースト・プレス）でも、斎藤先生にインタビューを行っているが、実はその数年前から、雑誌の事件記事のため何度か取材に伺っていた。とはいえ、その頃はまだ薄いつながりだ。斎藤先生もきっと、あの時の取材者が私だったとは覚えていないだろう。

そんな私が、閉院となった「さいとうクリニック」を取材しようと考えたのは、２０２２年、突然の思いつきだった。まさに、ハッと閃いたのである。

だが、患者さんへのインタビューを含む取材は、プライバシーの関係でハードルが高い。自分一人でオファーをする勇気はなかった。そんな時、私の個展に訪れたライフサイエンス出版の奥村友彦さんが、「アディクションのクリニックでルポを書きませんか」と声をかけてきたのだ。こんな偶然があるだろうか。しかも、出版社は家族機能研究所から徒歩10分の場所にあり、取材終了後に移転するという絶妙なタイミングだった。

本文でも書いた通り、私は取材を始めてすぐに、「実は私のほうが斎藤先生におびき寄せられたのではないか?」と感じている。だが、もちろんそんなことは伝えられるわけもなく、そっと胸の内にとどめていた。ところが、ある時、「インベさんも、取り憑かれてここにやってきたんだよ」と斎藤先生から言われたのである。私は、その時、驚きのあまり絶句してしまった。やはりここでは、科学では説明のつかないことが起きるようだ。

第10章に出てくる永田さんは、「僕レベルには先生の大宇宙の全容は分からない」と表現したが、私もまったく同じ気持ちだ。さまざまなエピソードを集めて1冊にしたけれど、描き切れたとは思っていない。これは斎藤先生のほんの一部に過ぎない。どんなに言葉を並べても、斎藤先生が何者であるかを説明できる気はしないのだ。それは、近くで接した者だけが感じる、壮大な「何か」で、私は長らく読者として、その「何か」に接していたのだろう。

本書において私は、これまで斎藤先生の本には出てこなかった側面を描けるよう意識した。より詳しく斎藤先生について知りたい方は、ぜひ、先生本人が書いた本を読んでもらいたい。20年、30年前の本でも、まったく色褪せていないし、それどころか、やっと時代が追いついてきていることに驚くのではないかと思う。

私は、第1章で「斎藤先生が着々と死ぬ準備をしている」と不吉なことを書いてしまったが、先生は昨今も次々と新刊を出している他、本文でも触れた通り、独自の精神療法PIASを教える講座RAカフェを開いている。そして、JUSTの理事長として、この取材中にもそのメンバーである団九郎さんとともにYouTube上で「齊藤學チャンネル」をスタートさせている。まだまだ現役であることを、ここに記しておきたい。

なお、本文では、読みやすいよう敬称略とした。貴重なお話を聞かせてくださった患者さんをはじめ、ミーティングを見学させて頂いた皆様、秘書の山中芙美恵さん、そして斎藤学先生に心より感謝を申し上げます。

家族機能研究所

JUST

PIAS
麻布コレクティヴ

叢書クロニック――創刊のことば

いつまでも健康でいたい。これは万人共通の願いではないでしょうか。今日では健康寿命の延伸や健康意識のニーズの高まりによって、人の誕生から死に至るまでありとあらゆる領域が医療の対象とされ、治療の専門化も進んでいます。しかし、人は生きている以上、病気と無縁でいることはできません。具体的な症状があれば医者に相談できますが、健康になる方法は誰も教えてくれません。では、どうすれば健康になれるのでしょうか。

健康の定義はWHO憲章*に代表されるように、必ずしも肉体や精神の健康に限定されるものではありません。そして、健康の解釈は社会や文化によっても異なり、多様性があります。ただ、健康について一つ言えるとするならば、それは「病気ではない状態だ」ということです。つまり、健康になるためには、病気とは何かについても深く知る必要があります。

アメリカの精神科医で医療人類学者のアーサー・クラインマンは、病気の概念を医者が治療対象とする疾患(disease)と患者が経験する物語(病気の意味)としての病い(illness)に分け、「治るとも限らない慢性疾患に苦しむ患者の物語にこそ、病いの本質である多義性が表されている」と指摘しました。つまり、物事の本質を理解するためにはその構造の外に一度出てみることが大切なのです。

本シリーズでは、医学はもちろんのこと人文、アートなど様々な領域の著者の「語り」を通して、慢性疾患を中心とした「病いの意味」と「健康の多様性」をとらえ直すことを目的に創刊しました。シリーズ名の「クロニック」は、英語で「慢性疾患」を指しますが、「病みつき」「長く続く」というポジティブな意味も持っています。

本シリーズが読者の皆様に末永く愛され、そして、読者の皆様がいつまでも健康でありますように、と願いを込めて。

*WHO憲章前文「健康とは、病気でないとか、弱っていないということだけではなく、肉体的にも、精神的にも、そして社会的にも、すべてが満たされた状態にあることをいいます。」

著者略歴

インベカヲリ★

1980年、東京都生まれ。写真家、ノンフィクション作家。短大卒業後、独学で写真を始める。編集プロダクション、映像制作会社勤務等を経て2006年よりフリーとして活動。18年第43回伊奈信男賞を受賞、19年日本写真協会新人賞受賞。写真集に『やっぱ月帰るわ、私。』『理想の猫じゃない』など。著書に『家族不適応殺　新幹線無差別殺傷犯、小島一朗の実像』『「死刑になりたくて、他人を殺しました」無差別殺傷犯の論理』『私の顔は誰も知らない』などがある。

デザイン　加藤 賢策（LABORATORIES）
DTP　濱井 信作（compose）
校正　佐藤 鈴木
編集　奥村 友彦

伴走者は落ち着けない

── 精神科医 斎藤学と治っても通いたい患者たち ──

2024年5月10日　第1刷発行
著　者 インベカヲリ★
発行者 須永 光美
発行所 ライフサイエンス出版株式会社
〒156-0043　東京都世田谷区松原6-8-7
TEL 03-6275-1522（代）　FAX 03-6275-1527
https://lifescience.co.jp
印刷所 株式会社シナノ

Printed in Japan
ISBN 978-4-89775-479-6 C0095